DZIENNIK
CWANIACZKA
JAK PO LODZIE

Jeff Kinney

Tłumaczenie
Joanna Wajs

Nasza Księgarnia

Tytuł oryginału angielskiego: *Diary of a Wimpy Kid: The Meltdown*

Wimpy Kid text and illustrations copyright © 2018 Wimpy Kid, Inc.
DIARY OF A WIMPY KID®, WIMPY KID™, and the Greg Heffley design™
are trademarks of Wimpy Kid, Inc. All rights reserved.

First published in the English language in 2018 by Harry N. Abrams,
Incorporated, New York.

Original English title: *Diary of a Wimpy Kid: The Meltdown*
(All rights reserved in all countries by Harry N. Abrams, Inc.)

Book design by Jeff Kinney
Cover design by Chad W. Beckerman and Jeff Kinney

© Copyright for the Polish edition by Wydawnictwo „Nasza Księgarnia",
Warszawa 2018

© Copyright for the Polish translation by Joanna Wajs, Warszawa 2018

DLA DEB

STYCZEŃ

Poniedziałek

Wszyscy mieszkańcy naszej ulicy spędzają dziś czas na dworze, żeby nacieszyć się słońcem. No dobra, wszyscy poza MNĄ. Jakoś nie kręci mnie fala upałów, jeśli przychodzi w samym środku ZIMY.

Ludzie mówią o „anomaliach pogodowych". A moim zdaniem świat po prostu stanął na głowie. Może i jestem staroświecki, ale oczekuję, że zimą będzie zimno, a LATEM gorąco.

Podobno pogoda wariuje przez GLOBALNE OCIEPLENIE, za które odpowiadamy my, ludzie. Tak czy siak, MNIE do tego nie mieszajcie. Ja tutaj jestem dopiero od NIEDAWNA.

Mam tylko nadzieję, że Ziemia nie nagrzeje się ZBYT szybko. Bo jak tak DALEJ pójdzie, do ogólniaka będę zasuwał na wielbłądzie.

Podobno lodowce topnieją i podnosi się poziom wody w oceanach. Ciągle próbuję namówić mamę i tatę, żeby kupili dom gdzieś wyżej. Ale oni niespecjalnie się tym wszystkim przejmują.

To trochę stresujące być jedyną osobą zatroskaną o przyszłość rodziny. Bo jeśli WKRÓTCE czegoś nie zrobimy, GORZKO pożałujemy.

Zresztą martwi mnie nie tylko coraz wyższy poziom wody w oceanach. Te lodowce mają miliony lat, a w ich głębi z pewnością siedzą różne stwory, których nie należy ROZMRAŻAĆ.

Jakiś czas temu widziałem film o uwięzionym w lodzie jaskiniowcu. Kiedy tysiące lat później lód puścił, okazało się, że facet ŻYJE. Nie wiem, czy takie rzeczy w ogóle są możliwe, ale jeśli po świecie NAPRAWDĘ łażą rozmrożeni jaskiniowcy, to nocny stróż z naszej szkoły chyba jest jednym z nich.

Jeżeli ludzkość ROZWIĄŻE tę całą kwestię klimatyczną, to pewnie dzięki komuś z MOJEGO pokolenia. Właśnie dlatego zawsze jestem supermiły dla największych BYSTRZAKÓW. Wiem, że bez NICH mielibyśmy przechlapane.

Jedno w każdym razie nie ulega wątpliwości. Ocali nas TECHNOLOGIA.

Dorośli ciągle powtarzają, że jej nadmiar jest dla dzieci SZKODLIWY, ale moim zdaniem im więcej technologii, tym LEPIEJ.

I wiecie co? Jak tylko będzie mnie stać na jeden z tych supernowoczesnych kibelków, które uczą się zwyczajów użytkownika, wezmę najdroższy model.

Niektórzy się boją, że któregoś dnia ludzkość straci kontrolę nad technologią i WŁADZĘ przejmą roboty.

Nie wiem jak wy, ale ja będę wtedy w obozie ZWYCIĘZCÓW.

Poczyniłem już nawet pewne PRZYGOTOWANIA.

Zaczałem się podlizywać sprzętom AGD.

A kiedy w przyszłości wybuchnie wojna między ludźmi a robotami, będę mógł sobie tylko pogratulować.

Mój brat Rodrick mówi, że za jakiś czas ludzie będą mieć elektroczęści i że wszyscy staniemy się CYBORGAMI.

Osobiście nie mogę się już tego doczekać, bo dzięki robonogom byłbym co rano o pół godziny snu do przodu.

Myślę jednak, że nikt nie wie, jak naprawdę będzie wyglądać przyszłość. Dlatego nie ma się co przejmować. Od tego człowiek może najwyżej OSZALEĆ.

Nawet jeśli rozwiążemy problemy, które mamy teraz, zaraz pojawią się NOWE.

Wiem z książek, że właśnie to spotkało dinozaury. Przez setki milionów lat nieźle się trzymały, a potem załatwiła je jedna asteroida.

Najlepsze jest to, że już wtedy istniały karaluchy. No i ONE jakimś cudem przeżyły. Przetrwają też pewnie zagładę człowieka. Cóż, nie mogę powiedzieć, że za nimi przepadam. Lecz najwyraźniej te robale wiedzą COŚ, czego nie wie ludzkość.

KLAP

Skoro już mowa o PRZETRWANIU, to ja właśnie usiłuję jakoś przetrwać w gimnazjum. A ostatnie dni nie należały do najłatwiejszych.

Chociaż na dworze bardzo się ocepliło, według szkolnego termostatu dalej jest ZIMA. No więc kaloryfery grzeją na maksa, przez co w klasie trudno się na czymkolwiek skupić.

W naszej STOŁÓWCE jest jeszcze gorzej, bo nie ma tam żadnych okien.

Mózg mi się od tego przegrzał i zacząłem zapominać o pracach domowych. Dziś miałem oddać jedną szczególnie WAŻNĄ, czyli projekt na wystawę ZNASZLI TEN KRAJ?.

W listopadzie każdy uczeń musiał sobie wybrać jakiś kraj, żeby przygotować prezentację. Ja zdecydowałem się na Włochy, bo nie mógłbym żyć bez PIZZY.

Zaraz się jednak okazało, że mnóstwo dzieciaków chce dostać Włochy, więc nasza pani od wiedzy o społeczeństwie urządziła losowanie. No i zwycięzcą został Dennis Tracton, co było meganiesprawiedliwe, bo on cierpi na nietolerancję laktozy i nawet nie może jeść sera.

A mnie przypadła Malta, czyli kraj, o którego istnieniu nie miałem dotąd pojęcia.

W każdym razie to było w listopadzie, więc nie pamiętałem o niczym aż do DZISIAJ. I może wcale bym sobie nie przypomniał, gdyby ludzie nie włożyli do szkoły dziwnych ciuchów.

Pewnie mogłem się połapać już wcześniej, kiedy przyszedł po mnie mój kumpel Rowley. Ale on ZAWSZE zachowuje się dziwacznie, więc jego wygląd wcale nie dał mi do myślenia.

Podczas godziny wychowawczej rzuciłem okiem na projekt Rowleya, żeby zobaczyć, ile koleś włożył w niego pracy. I właśnie wtedy zacząłem panikować.

Jego projekt wyglądał jak DOKTORAT i nie ulegało wątpliwości, że Rowleyowi pomagali rodzice. W dodatku gostek BYŁ w kraju, który miał zaprezentować, co na pewno NIESAMOWICIE upraszczało sprawę.

Powiedziałem Rowleyowi, żeby był kolegą i zamienił się krajami, ale on jest samolubem, więc na to nie poszedł. Zostawił mnie na lodzie, chociaż miałem tylko kilka godzin, żeby napisać pracę od ZERA. I zupełnie nie wiedziałem, SKĄD teraz wytrzasnę arkusz czystego brystolu.

Nagle sobie przypomniałem, że od listopada trzymam arkusz z zaczętym projektem w szkolnej SZAFCE. Ale kiedy wyciągnąłem prezentację, żeby zobaczyć, na JAKIM jestem etapie, przeżyłem duże rozczarowanie.

	TAJEMNICZA **MAL**	

50% oceny z wiedzy o społeczeństwie zależało od tego projektu, więc kompletnie się załamałem. Próbowałem prosić o pomoc KOLEGÓW, ale to uzmysłowiło mi tylko, że powinienem poszukać sobie jakichś bystrzejszych kumpli.

CHŁOPAKI, WIE KTÓRYŚ, GDZIE JEST MALTA?

W TWOICH MAJTACH!

HE, HE, HE!

Zostałem na przerwie w klasie, żeby popracować nad projektem. Nie miałem już czasu na bibliotekę szkolną, czyli musiałem nieźle POGŁÓWKOWAĆ. Pewien byłem tylko jednej rzeczy: że Malta leży gdzieś niedaleko Rosji.

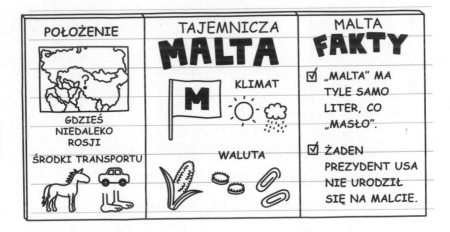

Gdy skończyłem z brystolem, przeszedłem do INNYCH części projektu.

Uczniowie mieli podczas prezentowania kraju wystąpić w „stroju narodowym", więc po drodze do stołówki zgarnąłem trochę ubrań z punktu rzeczy znalezionych.

Na szczęście trafiłem tam na parę sensownych ciuchów, z których udało mi się stworzyć przekonującą całość.

A ponieważ trzeba było też pokazać narodową POTRAWĘ, w stołówce zgromadziłem najróżniejsze produkty i skleciłem z nich coś, co mogło wyglądać na zagraniczne żarcie.

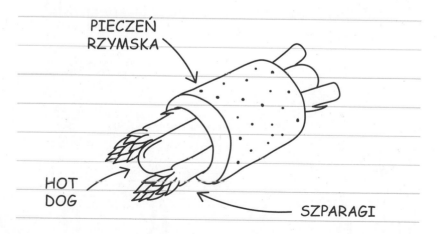

PIECZEŃ
RZYMSKA

HOT
DOG

SZPARAGI

Pokaz ZNASZLI TEN KRAJ? miał się odbyć na ostatniej lekcji. Kiedy zaniosłem swój projekt do sali gimnastycznej, byłem dobrej myśli. Choć wolałbym dostać w przydziale kraj, w którym ludzie nie ubierają się tak ciepło, bo kaloryfery nadal dawały czadu.

Ogrzewanie denerwowało nie tylko MNIE, więc NIEKTÓRYM zaczęły puszczać nerwy. W pewnym momencie Brazylia i Bułgaria pokłóciły się o GRANICĘ na stoliku do prezentacji, aż musiała interweniować nauczycielka.

Do sali gimnastycznej zapędzono dzieci
z podstawówki, żeby oglądały nasze projekty
i zadawały pytania. Ale ja miałem sposób, żeby spławić
smarkaczy. Udawałem, że mówię tylko po maltańsku.

Potem zaczęli przychodzić RODZICE. Na szczęście
MOJA MAMA nie mogła urwać się z uniwerku, a MÓJ
TATA z biura. Ale i tak miałem PECHA, bo matka
i ojciec jednego z uczniów urodzili się na MALCIE.

Pomyślałem, że na pewno doniosą na mnie nauczycielce, i już chciałem dać drapaka, gdy nagle zdarzyło się coś, co uratowało mi skórę.

Konflikt, który wybuchł między Brazylią a Bułgarią, objął także kraje na „C" i „D". W jednej chwili całą salę gimnastyczną ogarnęła WOJENNA POŻOGA.

Na szczęście dzwonek rozdzielił skłócone kraje, zanim ktokolwiek poważnie ucierpiał. Ale od tamtej pory nie mam większych złudzeń co do pokoju na świecie.

Wtorek

MYŚLAŁEM, że mi się upiekło, ale byłem w błędzie.
Pani od wiedzy o społeczeństwie napisała do moich
rodziców. Poinformowała ich, że będę musiał przygotować projekt JESZCZE RAZ.

Wtedy mama powiedziała, że mam szlaban na
telewizję i gry wideo, dopóki nie skończę. Chyba
ogarnę temat do soboty, choć to i tak nie zmieni
mojej sytuacji. Wszystko dlatego, że mama wymyśliła
WEEKENDY BEZ PRĄDU.

Ona uważa, że ja i Rodrick jesteśmy uzależnieni od
elektroniki i z jej powodu źle się zachowujemy. No
więc wprowadziła nową zasadę i teraz żaden z nas nie
może używać urządzeń elektronicznych w soboty
i w niedziele. Musimy sobie szukać jakichś innych
rozrywek.

Najgorsze jest to, że kiedy mama przyłapie nas w weekend na GRZECZNOŚCI, dochodzi do wniosku, że miała rację i że jej plan DZIAŁA.

Ostatnio Rodrick i ja staramy się pamiętać, żeby w sobotę i niedzielę trochę NAROZRABIAĆ. W ten sposób pokazujemy mamie, że jej weekendy bez prądu wcale się nie sprawdzają. W takich momentach dołącza też do nas MANNY, chyba po prostu dlatego, że lubi robić to samo, co jego starsi bracia.

Mama twierdzi, że w dzisiejszych czasach dzieci nie potrafią „wchodzić w interakcję" z rówieśnikami, bo cały czas siedzą z nosami w ekranach. I właśnie dlatego ja i Rodrick musimy pracować nad naszymi „kompetencjami społecznymi".

Kiedy coś mówię do mamy, zawsze słyszę, że mam nawiązywać kontakt wzrokowy. W porządku, mogę to robić przez CHWILĘ, ale po paru sekundach zaczynam się czuć zbyt nieswojo.

Ostatnio mama każe mi ćwiczyć z tatą uściski dłoni. Ale i on, i ja czujemy się z tym NIEZRĘCZNIE.

Mama chce też, żebym „otwierał się na nowe
możliwości", to znaczy znalazł sobie nowych przyjaciół
w sąsiedztwie. Ale ja mam już jednego przyjaciela
i jest nim ROWLEY. A on W ZUPEŁNOŚCI mi
wystarczy.

MOŻE HERBATKI?

Chociaż na naszej ulicy mieszka cała masa dzieciaków,
nie wyobrażam sobie, jak mógłbym się zakumplować
z którymkolwiek z nich. I tak robię WYJĄTEK dla
Rowleya. A cała reszta gra w jeszcze niższej lidze.

Mój dom znajduje się w połowie Surrey Street,
natomiast dom Rowleya prawie na samym jej końcu.
Czasem pokonanie tej trasy to droga przez mękę, bo
trzeba przejść obok domu FREGLEYA. A w dziewięciu
przypadkach na dziesięć Fregley pałęta się wtedy
po trawniku.

Naprzeciwko Fregleya mieszka Jacob Hoff, ale on prawie nigdy nie wychodzi, bo rodzice każą mu ćwiczyć grę na klarnecie. A po obu stronach Jacoba mieszkają Ernesto Gutierrez i Gabriel Johns, chłopaki z mojego rocznika.

Ernesto i Gabriel to fajni goście i w ogóle, ale OBAJ mają nieświeży oddech, więc tak jakby są na siebie skazani.

Dwa domy ode mnie w dół ulicy mieszka David Marsh, karateka. Jego najlepszy kumpel to Joseph O'Rourke, gość, który ciągle próbuje zrobić sobie krzywdę.

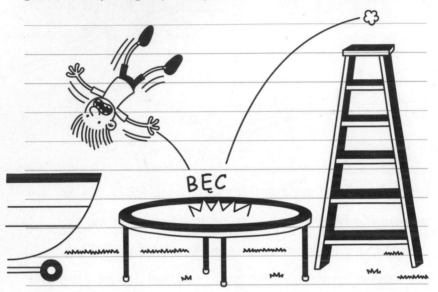

Obok Josepha mieszka Mitchell Pickett, który zbija fortunę, sprzedając nam zimą śnieżki. Zapamiętajcie moje słowa: ten dzieciak zostanie kiedyś MILIONEREM.

Mitchell mieszka drzwi w drzwi z młodszym ode mnie o rok kolesiem, na którego wołamy Śpiący Policjant. Ale omijamy go szerokim łukiem, bo dwaj starsi bracia Śpiącego już siedzą w kiciu.

Jest też ten dzieciak, który nazywa się Pervis Gentry, ma domek na drzewie i przez całe wakacje rozwiązuje zagadki kryminalne z sąsiedztwa. Tyle że przestępcą w większości przypadków okazuje się Śpiący Policjant.

Idąc w dół ulicy, trafia się też na bliźniak, w którym
mieszkają dwie rodziny. No i one się NIENAWIDZĄ.

Nie mogę spamiętać imion dzieciaków z tego domu,
ale wiem, że jeden nazywa się Gino, bo ma tatuaż na
ramieniu, choć skończył dopiero jakieś siedem lat.

Parę domów dalej mieszka ze swoją babcią chłopak
o imieniu Gibson.

Ludzie mówią na niego Dzidzia Gibson, bo on ciągle wygląda TAK SAMO. Choć o ile wiem, ma już trzydzieści dwa lata i swoje własne DZIECI.

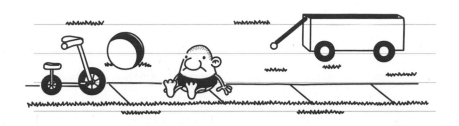

Jest też banda przedszkolaków przychodzących dwa razy w tygodniu do pani Jimenez. Nie mam pojęcia, które z tych dzieciaków należą do NIEJ, a które do jej PSIAPSIÓŁEK. W każdym razie smarkacze robią niezłe zadymy, a ich mamuśki mają wszystko w nosie.

Na naszej ulicy mieszkają też starsze chłopaki.
Anthony Denard jest w drugiej klasie liceum
i niedawno zaczął się golić. Ale raz trochę go poniosło
i niechcący skosił sobie brew.

Co prawda domalował ją potem markerem, ale nie
wyszło mu to zbyt dobrze. I teraz wygląda, jakby miał
PÓŁ twarzy zdziwione.

Najlepszy kumpel Anthony'ego to Sheldon Reyes.
Koleś próbował sobie ostatnio dorobić, odśnieżając
ludziom podjazdy.

Ale Sheldon nie ma jeszcze prawka, więc zrobił niezły
meksyk w okolicy, zanim jego tata odkrył, że ktoś
zabiera mu wóz.

Blisko mnie mieszkają bracia bliźniacy, Jeremy i Jameson Garzowie. Już jako niemowlęta wymyślili swój własny język i teraz, kiedy są w jednym pomieszczeniu, nikt nie rozumie z ich gadki ani słowa.

Na mojej ulicy mieszkają też DZIEWCZYNY. Tylko że one nie są ani trochę lepsze od CHŁOPAKÓW.

W domu naprzeciwko Rowleya grasuje pięcioosobowy gang sióstr Marlee. Nie wiem, o co chodzi tym laskom, ale ktokolwiek wejdzie na ich trawnik, zostaje zaatakowany.

Emilia Greenwall, która mieszka parę domów dalej, zawsze ubiera się jak księżniczka. Chyba przedawkowała filmy animowane Disneya.

Latricia Hooks mieszka w parterowym domku, ma ponad metr osiemdziesiąt i chodzi do pierwszej klasy ogólniaka. Rodrick unika jej jak ognia, bo kiedy był w MOIM wieku, Latricia dawała mu niezły wycisk.

Siostra Latricii, Victoria, z jakiegoś powodu kocha się w Erneście Gutierrezie, a jej najlepsza kumpela, Evelyn Trimble, przebiera się za wampira.

Moim zdaniem Evelyn naprawdę myśli, że JEST wampirem. I między innymi DLATEGO cieszę się, że już nie jeżdżę szkolnym autobusem.

Nie wymieniłem nawet POŁOWY dzieciaków z sąsiedztwa. Ale gdybym chciał opisać je wszystkie, trwałoby to W NIESKOŃCZONOŚĆ.

Mama zawsze pyta, dlaczego nie zaprzyjaźnię się z kimś z DOŁU wzgórza, chociaż tłumaczyłem jej setki razy, że to NIEMOŻLIWE.

Surrey Street składa się z dwóch części. GÓRNEJ, która pnie się po wzgórzu, oraz DOLNEJ, biegnącej u jego podnóża.

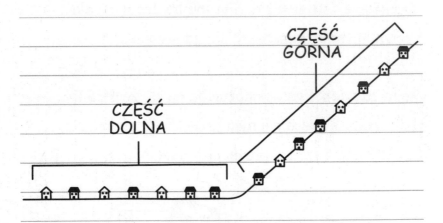

I choć to wciąż ta sama ulica, górniacy i dolniacy żyją w stanie WOJNY.

Życie górniaków nie jest lekkie. Przede wszystkim mamy naprawdę daleko do szkoły, a wracanie pod górkę to nie przelewki. ZWŁASZCZA w taką pogodę jak teraz.

A co gorsza, na wzgórzu niewiele można ROBIĆ. O graniu w piłkę w ogóle zapomnijcie.

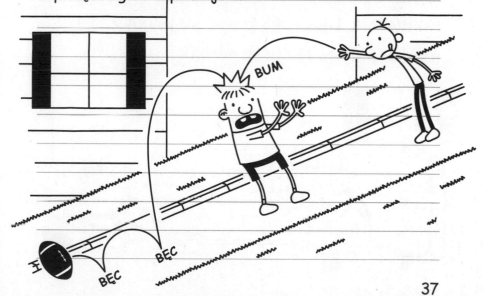

Dzieciaki z DOŁU nie mają takich problemów. Ich część ulicy biegnie po równym terenie, więc mogą się bawić, w co tylko zechcą. Właśnie dlatego wszyscy lokalni sportowcy wywodzą się spośród DOLNIAKÓW.

Ci goście sądzą, że początek ulicy to ich WŁASNOŚĆ PRYWATNA. I jak tylko któryś górniak chce tam w coś pograć, ma PRZECHLAPANE.

Nauka jazdy na rowerze zajęła mi aż cztery lata,
bo każdy trening trwał nie dłużej niż pięć sekund.

Lecz gdy zaczyna ŚNIEŻYĆ, role się odwracają.
Nagle to dolniacy chcą używać NASZEGO wzgórza,
żeby zjeżdżać z niego na sankach. I wtedy MY im
dajemy popalić.

Przez większość czasu trzymamy dzieciaki z dołu na dystans. Ale one są strasznie CWANE i niekiedy udaje im się PRZEŚLIZGNĄĆ.

Zeszłej zimy część dolniaków kupiła sobie takie same CIUCHY jak nasze i minęły TYGODNIE, zanim się połapaliśmy.

Jak mieszkasz na Surrey Street, to albo jesteś DOLNIAKIEM, albo GÓRNIAKIEM, i nie wolno przechodzić na drugą stronę.

Jeden koleś, Trevor Nix, do ubiegłego lata mieszkał na wzgórzu. Ale potem jego rodzina przeniosła się do większego domu na początku ulicy.

Tylko że dolniacy dalej uważają Trevora za GÓRNIAKA, więc nie pozwalają mu się bawić na ulicy. Z kolei my, górniacy, mamy go za zdrajcę, bo się przeprowadził, i nie pozwalamy mu zjeżdżać na sankach ze wzgórza. Więc teraz Trevor jest uziemiony w domu i latem, i zimą.

Jest dużo spięć między dolniakami a górniakami. Właśnie dlatego przyjaźnie są niemożliwe. Ale gdy tylko próbuję wyjaśnić to mamie, ona nic nie łapie.

Zresztą ŻADNA matka z naszej ulicy tego nie rozumie. One wszystkie kumplują się ze sobą i nie mają pojęcia o PRAWDZIWYM świecie.

W tej chwili na Surrey Street panuje względny spokój. My, ludzie ze wzgórza, trzymamy się SWOJEJ części ulicy, a goście z dołu SWOJEJ. Lecz wystarczy jeden fałszywy ruch i miasto STANIE W OGNIU.

<u>Niedziela</u>

Temperatura spadła przez weekend o piętnaście stopni, więc dziś poszliśmy poszukać naszej świni.

Przed wyjazdem na święta zostawiliśmy ją w hoteliku dla zwierząt. Ale świnia chyba uważała, że powinniśmy zabrać ją ZE SOBĄ, bo nie była zachwycona.

Gdy wróciliśmy do domu, dała do zrozumienia, co sądzi o wykluczeniu jej z rodzinnej wycieczki.

Po paru dniach takiej pokazówki tata nie wytrzymał i posłał ją na „kurs posłuszeństwa". A następnego ranka zadzwoniła do nas trenerka i powiedziała, że świnia UCIEKŁA.

Rozwiesiliśmy na mieście ogłoszenia, ale ona jest SPRYTNA, więc nie sądzę, żeby naprawdę się ZGUBIŁA. Raczej po prostu nie chce zostać ZNALEZIONA.

Myślę, że gdzieś się zabunkrowała i zapadła w SEN ZIMOWY. Mama twierdzi, że świnie tego nie robią, chociaż moim zdaniem POWINNY.

Gdybym był zwierzęciem, właśnie TYM bym się teraz zajmował. Wszystkim wyszłoby to na dobre, gdyby ostatniego dnia jesieni wskakiwali w piżamy i spali aż do wiosny.

DO ZOBACZYSKA
W MAJU!

Kiedy byłem mały, PRÓBOWAŁEM zapaść w sen zimowy, jednak bez powodzenia.

STRASZNIE się wtedy ekscytowałem Gwiazdką. Gdy przychodził grudzień, naprawdę nie mogłem DOCZEKAĆ SIĘ świąt.

Dlatego raz powiedziałem rodzicom pierwszego grudnia, że idę spać i żeby mnie nie budzili przed Bożym Narodzeniem. Bardzo się zdziwiłem, bo nie protestowali.

Tamtego wieczoru zasnąłem jak zwykle, ale wstałem dzień później o wpół do drugiej po południu. Przez co na całe dwa tygodnie rozregulowałem sobie organizm.

Mama twierdzi, że to NIEMOŻLIWE, aby istota ludzka zapadła w sen zimowy. Ja jednak nie do końca jej wierzę.

Wiecie, jest taka banda dzikich dzieciaków, które mieszkają w tutejszym lesie. Wszyscy nazywają je Mingami, bo żyją jak to indiańskie plemię. No i powiem wam jedno. Nigdy nie zobaczycie Mingów ZIMĄ, a kiedy w końcu pokazują się WIOSNĄ, wyglądają, jakby dopiero wstali z wyrka.

Więc jeśli nie zapadają w sen zimowy, to sam już nie wiem, co wtedy robią.

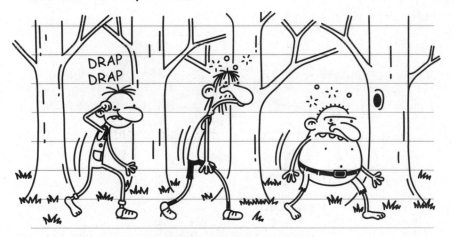

Tymczasem my, NORMALNI ludzie, musimy zacisnąć zęby i jakoś przetrwać mrozy.

Jedyny sposób, żeby TEGO dokonać, to siedzieć w ciepełku i nie wystawiać nosa za próg bez potrzeby.

Kiedy wróciliśmy parę tygodni temu z wyjazdu, znaleźliśmy przed domem paczkę. W środku był prezent gwiazdkowy od ciotki Dorothy. Wielgachny jak nie wiem co KOC.

A ten koc był naprawdę NIESAMOWITY. Miękki, ciężki i gruby, totalnie w moim guście. Problem polegał jednak na tym, że ja, Rodrick i Manny musieliśmy jakoś się nim podzielić. No i od razu wybuchła awantura.

Wszyscy chcieliśmy używać go jednocześnie, aż mama powiedziała, że mamy korzystać z koca na zmianę.

Tylko że my trzej nigdy nie byliśmy dobrzy w DZIELENIU SIĘ czymkolwiek. I dlatego mama w końcu ułożyła nam GRAFIK.

Kocykowy system zmianowy		
18:00	19:30	21:00
Manny	Manny	Manny
18:30	20:00	21:30
Greg	Greg	Greg
19:00	20:30	22:00
Rodrick	Rodrick	Rodrick

Ale to rozwiązanie było NIE FAIR. Manny miał swój WŁASNY kocyk, więc bawił się DWA RAZY lepiej.

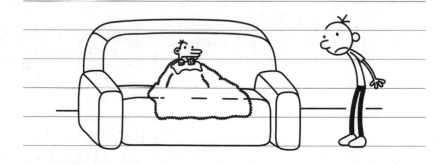

Kiedy przychodziło MOJE pół godziny, starałem się wykorzystać ten czas na maksa.

Ale to nie było proste, bo Rodrick zaczynał nade mną wisieć już po piętnastu minutach.

Każdy z nas miał prawo do trzech rundek każdego wieczoru, ale Rodrick bezczelnie oszukiwał, zabierając koc do łazienki na chwilę przed zmianą MANNY'EGO. A potem spędzał GODZINĘ na kibelku, kradnąc także MÓJ czas.

Wtedy mama wprowadziła następną zasadę: zakaz wchodzenia z kocem do łazienki.

Gdy pewnej nocy zasnąłem pod kocem, Rodrick na mnie naskarżył, bo chciał przykryć się nim rano przy śniadaniu. Wtedy mama dołożyła nam NOWĄ zasadę: ten, kto śpi pod kocem, musi go zwrócić do ósmej rano.

Pod koniec pierwszego tygodnia było już tyle zasad, że mama umieściła je wszystkie w PODRĘCZNIKU. Zajęły jakieś dwadzieścia pięć stron.

Ale i TO nie rozwiązało problemu, więc mama w końcu zabrała nam koc i oddała komuś, kto na niego „zasługiwał". Oświadczyła, że sami jesteśmy sobie winni, bo nie potrafimy się DZIELIĆ.

Dorośli ciągle mówią, jak fajnie jest się dzielić, lecz osobiście uważam, że to bardzo przereklamowane. Coś wam powiem: jeśli kiedyś dorobię się pieniędzy, będę mieć ZAMEK tylko dla siebie i wielki gruby koc w każdej jego komnacie.

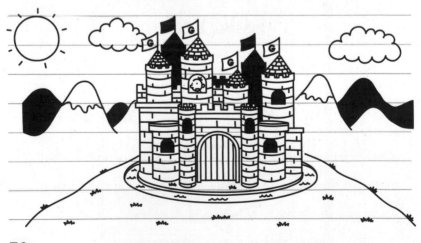

<u>Poniedziałek</u>

Kiedy wstałem z łóżka, na dworze był mróz.

Ucieszyłem się, że zima znowu zaczyna wyglądać jak zima, ale potem mama kazała mi włożyć do szkoły termoaktywną bieliznę. Więc doszedłem do wniosku, że globalne ocieplenie nie jest takie złe.

NIE CIERPIĘ termoaktywnej bielizny. Po pierwsze jest niewygodna, a po drugie czuję się w niej GŁUPIO. Te rzeczy wyglądają ekstra na manekinach w galerii handlowej, ale kiedy JA się w nie wciskam, przypominam superbohatera na emeryturze.

Manekiny w sklepach zawsze są napakowane i dzieciaki, które nie spędzają trzech godzin dziennie na siłce, wyglądają przy nich żałośnie.

Jeśli kiedykolwiek złapię formę, zostanę modelem u gościa, który robi manekiny. Bo to będzie super-powód do przechwałek na randkach.

Manekiny w sklepach sportowych zawsze prezentują różne atletyczne pozy. Chyba TRUDNO wytrzymać w takiej pozycji, kiedy jest się rzeźbionym. A przecież ta fucha ma być PRZYJEMNOŚCIĄ.

No więc gdy już wezmę tę robotę, będę pozować tylko
dla sklepów z łóżkami i wannami.

Mama mówi, że powinienem się CIESZYĆ z termoaktywnej bielizny, bo nasi PRZODKOWIE musieli marznąć.

Czasem tych naszych przodków zupełnie NIE
ROZUMIEM. Nie mam pojęcia, dlaczego postanowili
zamieszkać właśnie TU, skoro mogli wybrać miejsce
z dużo lepszym klimatem.

Nie będę jednak narzekać, bo w końcu PRZETRWALI, a wszystko, co zrobili, w prostej linii doprowadziło do MNIE. Szkoda, że nie mogą zobaczyć, jak żyję. Wiedzieliby, że ich poświęcenie nie poszło NA MARNE.

Zresztą KAŻDY człowiek ma szczęście, że istnieje. Ludzkość musiała nieźle się napocić, żeby dojść aż TUTAJ.

Wiem ze szkoły, że dziesięć tysięcy lat temu lód pokrywał połowę tej planety. A skoro daliśmy sobie z TYM radę, sądzę, że zniesiemy WSZYSTKO.

Mój nauczyciel mówi, że pewnego dnia wróci epoka lodowcowa. Cóż, mam nadzieję, że to nie stanie się w NAJBLIŻSZYM czasie.

Słyszałem, że lodowce przesuwają się POWOLUTKU, co akurat jest dobrą wiadomością. Nasze szanse dzięki temu niewątpliwie WZROSNĄ.

Sam nie wiem, co gorsze: globalne ocieplenie czy globalne ochłodzenie. Ale powiem wam jedno. Dziś było naprawdę zimno i droga do szkoły nie należała do przyjemności.

Próbowałem pocieszać się myśleniem o rzeczach, które LUBIĘ w zimie, ale ta lista była bardzo krótka. Gwiazdka jest oczywiście super, ale zaraz po niej zaczyna się długie czekanie na wiosnę.

W końcu uznałem, że zima jest coś warta głównie z powodu GORĄCEJ CZEKOLADY. Kiedyś należałem do szkolnego Patrolu Bezpieczeństwa i dostawałem gorącą czekoladę za darmoszkę. Ale kiedy wykopali mnie z tej roboty, musiałem się postarać o swoją WŁASNĄ czekoladę.

Ostatnio napełniam nią rano termos, dzięki czemu jest mi ciepło w drodze na zajęcia.

Ale dzisiaj tata musiał POMYLIĆ termosy. Nie zdawałem sobie z tego sprawy, dopóki nie wypiłem wielkiego łyka ZUPY GRZYBOWEJ.

Chciałbym, żeby mama i tata odwozili mnie do szkoły samochodem, ale oni wychodzą z domu pół godziny przede mną.

W zimne dni niektóre dzieciaki ze wzgórza jeżdżą do szkoły z rodzicami. A kiedy ja i Rowley machamy, żeby się z nimi zabrać, udają, że nas nie widzą. To naprawdę podłość, bo my, górniacy, powinniśmy trzymać SZTAMĘ.

Dziś było tak lodowato, że nauczyciele postanowili nie wypuszczać nas na dwór. Co zresztą ABSOLUTNIE mi pasowało.

Kiedy ostatnio wyszliśmy na przerwę podczas mrozu, Albert Sandy powiedział, że w taki dzień SPLUNIĘCIE zamarznie, zanim doleci do ziemi.

Cóż, szybko się okazało, że to BUJDA. Ale tamta przerwa była totalną MASAKRĄ.

Przerwa spędzana w klasie to też nic fajnego. Musimy wtedy grać w planszówki i układać puzzle. Tylko że ludzie zaraz dostają małpiego rozumu i znajdują sposób, żeby podgrzać atmosferę.

No więc dziś nauczycielka powiedziała, że spróbujemy czegoś NOWEGO.

Pokazała nam grę w MUZEUM, która polegała na tym, że wszyscy zamierali jak posągi i musieli wytrzymać nieruchomo jak najdłużej.

Nawet całkiem NIEŹLE się bawiłem, ale kiedy duża przerwa dobiegła końca, coś do mnie dotarło. To był PODSTĘP. A nauczycielce chodziło tylko o to, żebyśmy przez pół godziny zachowywali się SPOKOJNIE.

Wiecie, czego nie lubię w tym niewychodzeniu na dwór? Zimą mnóstwo dzieciaków CHORUJE, a ja naprawdę nie chcę się ZARAZIĆ.

Nasza szkoła jest pełna DROBNOUSTROJÓW i nikt nie zasłania ust, kiedy kaszle albo kicha.

Przejście przez korytarz przypomina przedzieranie się przez pole bitwy.

Wszyscy beztrosko rozsiewają zarazki, a goście tacy jak Albert Sandy tylko POGARSZAJĄ sprawę. Dzisiaj podczas lunchu Albert opowiedział nam o człowieku, który zasłonił sobie usta, kichając, przez co wybuchła mu GŁOWA.

Zarzuciłem Albertowi kłamstwo, ale on zarzekał się, że to PRAWDA. Dodał, że koleś PRZEŻYŁ i pakuje teraz zakupy w lokalnym supermarkecie.

Albert zawsze wciska nam CIEMNOTĘ, a dzieciaki przy moim stole wierzą w każde jego słowo. No więc nie ma OPCJI, żeby zasłoniły usta, kiedy następnym razem zdarzy im się kichnąć.

Parę tygodni temu Albert powiedział, że jeśli komuś umrze zimą zwierzę, to nie można go pochować aż do wiosny, bo ziemia jest zamarznięta. A zwłoki trzeba przecież gdzieś TRZYMAĆ.

Zdaniem Alberta mieszkańcy naszego miasteczka używają do tego celu szkolnej zamrażarki, która w tym momencie jest już PRZEPEŁNIONA.

Mam niemal STUPROCENTOWĄ pewność, że to jeszcze jedna bajeczka Alberta. Ale dopóki nasza ŚWINIA się nie odnajdzie, nie tknę więcej podawanej w stołówce karkówki. Tak na wszelki wypadek.

Poważnie myślę o tym, żeby się przesiąść do innego stolika, bo mam już dość Alberta Sandy'ego i innych przygłupów. Na pewno nie będę tęsknił za Teddym Silvettim, który przez całą zimę nosi ten sam sweter.

Sweter Teddy'ego NIGDY nie był prany i ma mnóstwo plam z żarcia. Czasami chłopaki przy moim stole zabawiają się zgadywaniem, która plama jest po CZYM. I to właśnie robiły DZISIAJ.

Widzicie? To dlatego dziewczyny z mojej szkoły trzymają w szafkach plakaty z gwiazdami pop. Chłopaki z mojego rocznika nie mają do nich STARTU.

Nie potrafię sobie nawet WYOBRAZIĆ, ile zarazków mieszka na swetrze Teddy'ego. Dlatego zawsze siadam co najmniej dwa krzesła dalej.

Większość mocy przerobowych mojego mózgu zużywam w szkole na CZUJNOŚĆ wobec bakterii. Tej zimy zapełniłem NOTATKAMI już dwa zeszyty.

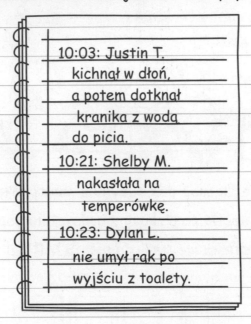

10:03: Justin T.
kichnął w dłoń,
a potem dotknął
kranika z wodą
do picia.
10:21: Shelby M.
nakasłała na
temperówkę.
10:23: Dylan L.
nie umył rąk po
wyjściu z toalety.

Sprawy się komplikują w przypadku BLIŹNIĄT, takich jak Jeremy i Jameson Garzowie. Nie potrafię tych gości odróżnić, a dziś miałem wrażenie, że jeden jest CHORY.

No więc żeby mieć na oku tego kaszlącego, strzeliłem
mu we włosy papierową kulką.

W przeziębieniu JEDNA rzecz jest dobra. Mama daje
mi wtedy wiśniowe pastylki na gardło. Wiem, że powinno
się je ssać naprawdę powoli, ale ja żuję te tabletki jak
CUKIERKI i pochłaniam kilka paczek dziennie.

Dziewczyny z mojej klasy UWIELBIAJĄ zapach
wiśniowych pastylek na gardło, więc niemal OPŁACA
SIĘ być przeziębionym.

Niestety CHŁOPAKI też lubią ten zapach. I zawsze kombinują, jak by je ode mnie WYCIĄGNĄĆ.

Kilka tygodni temu poczułem drapanie w gardle, więc zabrałem do szkoły trzy paczki pastylek. Jedną wsadziłem do kieszeni, a RESZTĘ zostawiłem w szafce.

Ale Jake McGough wywęszył wiśniowe pastylki i zanim zdążyłem policzyć do trzech, Śpiący Policjant włamał mi się do szafki.

Naprawdę wolałbym NIE CHODZIĆ do szkoły w sezonie przeziębień i grypy. Może pewnego dnia kupię sobie jeden z tych wielkich plastikowych bąbli, żeby nie narażać się na kontakt z cudzymi bakcylami.

Ale mój bąbel pewnie nie przetrwa nawet JEDNEGO dnia, bo jakiś debil zaraz go przekłuje.

Chociaż nie znoszę chorować, w sumie jestem zadowolony, że nadal nie wynaleziono leku na przeziębienie.

Bo gdyby go WYMYŚLONO, nie mógłbym więcej udawać złego samopoczucia. To byłby koniec zostawania w domu i grania w gry wideo.

Dziś w drodze powrotnej do domu było zimniej niż rano. A tym razem WIATR wiał nam w oczy, przez co czuliśmy się jeszcze GORZEJ.

Z zimna musieliśmy robić sobie przystanki, a na pierwszy z nich wybraliśmy bar szybkiej obsługi, bo tam od wielkiego pieca leci gorące powietrze. Lecz gdy właściciel załapał, że nie zamierzamy nic KUPIĆ, zaraz wykopał nas za drzwi.

Wtedy weszliśmy do biblioteki miejskiej. To instytucja publiczna, więc wiedziałem, że nikt nas stamtąd nie wyrzuci. Bibliotekarki jednak tak natrętnie wciskały nam książki, że UCIEKLIŚMY sami.

Szkoda, że najpierw nie skorzystaliśmy z toalety, bo w połowie drogi Rowleyowi strasznie się zachciało. Zapukaliśmy do paru drzwi, ale gdy ludzie tylko nas zobaczyli, udawali, że nie ma ich w domu.

Zanim ktoś nam wreszcie OTWORZYŁ, Rowleyowi twarz tak zdrętwiała z zimna, że nie zdołał nic SENSOWNEGO powiedzieć.

Na początku Surrey Street sytuacja stała się KRYTYCZNA. Było jasne, że NIKT z dolniaków nie wpuści nas do domu.

W ogródku od frontu pana Yee jest wielki KAMULEC, więc powiedziałem Rowleyowi, żeby tam zrobił to, co ma do zrobienia. Choć osobiście w życiu nie wysikałbym się na takim MROZIE. Albert Sandy opowiedział nam kiedyś straszną historię o gościu, który popełnił TEN błąd.

Nie był to jednak dobry moment na powtarzanie jej Rowleyowi. Zresztą nie wiedziałem nawet, czy jemu chodzi tylko o NUMER JEDEN.

Cokolwiek mój kumpel robił za tym kamieniem, trwało to W NIESKOŃCZONOŚĆ. W końcu paru dolniaków wylazło z domów i wokół Rowleya zebrał się tłumek gapiów. A wtedy ja podałem tyły, bo naprawdę nie chciałem być z nim KOJARZONY.

Na szczęście wybyliśmy stamtąd, zanim ktokolwiek się zorientował, jaką sprawę ZAŁATWIAŁ Rowley. Bo to by było coś w sam raz głupiego, żeby rozpętać WOJNĘ.

Wtorek

Dziś rano znowu był siarczysty mróz, więc
wyciągnąłem z szafy szalik i rękawiczki. Wtedy mama
powiedziała, że powinienem włożyć takie z jednym
palcem, które babcia wydziergała dla mnie na drutach
zeszłej zimy. Tylko że robiąc je, zagapiła się
i zapomniała o KCIUKACH.

Czyli te bezpalczaste rękawiczki są tak naprawdę
SKARPETAMI. A podczas walk na śnieżki jestem
w nich zupełnie BEZBRONNY.

Mama stwierdziła, że powinienem też założyć nauszniki, ale ja coś wam powiem. Człowiek, który pokazuje wszystkim wokół, że nic nie słyszy, sam się prosi o KŁOPOTY.

Wiecie, dlaczego tak marznę? Jestem CHUDY i nie mam dobrej izolacji. Każdej zimy próbuję sobie zapewnić ochronną warstewkę tłuszczu. Ale chyba przeszkadza mi w tym ZBYT dobry metabolizm.

Na dworze było rano z dziesięć stopni na minusie i w drodze do szkoły zacząłem się zastanawiać, czy to możliwe, żeby krew ZAMARZŁA komuś w żyłach.

Słyszałem, że ludzie składają się w jakichś 60%
z wody, no więc to chyba dość PRAWDOPODOBNE.
Chociaż brzmi jak jedna z historyjek Alberta
Sandy'ego.

Najbardziej bałem się ODMROŻEŃ. W połowie drogi
do szkoły z zimna PALIŁY mnie uszy i żałowałem, że
nie wziąłem tych nauszników.

Pomyślałem, że jedno z uszu może mi nawet ODPAŚĆ,
a ja tego nie zauważę, dopóki nie znajdę się w klasie.

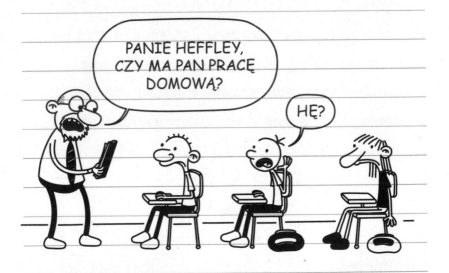

Zresztą bałem się nie tylko o USZY. Wygląda na to,
że można sobie odmrozić całkiem sporo CZĘŚCI.

Na pewno nie chciałbym stracić NOSA, bo bez niego wyglądałbym trochę dziwnie. Chociaż na wiedzy o społeczeństwie muszę siedzieć przy samej TOALECIE, więc może byłoby WARTO.

Ciekawe, czy jak ktoś nie ma nosa, to dalej może mu z niego lecieć. Mój nos ZAWSZE w zimne dni przecieka, a ja nigdy nie wiem, że mam pod nim zamarzniętego smarka, dopóki nie jest za późno.

Wolałbym też zachować swoje USTA, bo bez nich wyglądałbym, jakbym bez przerwy się UŚMIECHAŁ. A w niektórych okolicznościach to byłoby problematyczne.

Miałem szczęście, że znalazłem w szafie RĘKA-WICZKI, bo lubię też swoje PALCE. Choć mógłbym zrezygnować z małych palców u nóg, bo prawie wcale ich nie używam. Ostatni raz przydały mi się na coś w PRZEDSZKOLU, kiedy musiałem policzyć do dwudziestu. Ale poza tym nie widzę dla nich żadnego zastosowania.

INNE chłopaki też chyba przestraszyły się odmrożeń,
bo w szkolnej toalecie stała długa kolejka do suszarki.
Przez co spóźniłem się pięć minut na lekcję.

W drodze do domu nie było tak wietrznie jak wczoraj,
ale za to tak samo MROŹNIE. No więc po raz drugi
zatrzymaliśmy się w barze szybkiej obsługi, bo Rowley
znalazł w kieszeni kurtki kupon na dwie kanapki
z klopsikami.

Po wyjściu z baru nadal mieliśmy przed sobą długą drogę. Ale wtedy wpadłem na pewien pomysł.

Dom mojej babci znajduje się pomiędzy szkołą a naszą ulicą, a ja wiedziałem, że NIKOGO tam nie ma. Babcia wyjeżdża każdej zimy na południe i nie wraca przed wiosną.

Przez całą zimę przysyła nam zdjęcia swoje i swoich koleżanek w kostiumach kąpielowych, żebyśmy wiedzieli, jak świetnie się bawi.

Babcia zabiera też na te wakacje swojego psa Słodzika. No więc kiedy ja tu sobie odmrażam tyłek, jakiś kundel leży na plaży w ciepłych krajach i grzeje się na słonku.

Babcia trzyma klucz w krasnalu ogrodowym przy samych drzwiach wejściowych. Więc oczywiście właśnie TAM go znalazłem.

Uznałem, że przed ostatnią prostą możemy trochę się ogrzać. Rowley nie był zachwycony tym, że wdzieramy się do czyjegoś domu, ale wytłumaczyłem mu, że jestem RODZINĄ i że babcia by mi na to POZWOLIŁA.

Kiedy jednak weszliśmy do środka, czekała mnie przykra niespodzianka. W środku było zimno jak w PSIARNI, co chyba oznacza, że babcia wyłącza przed wyjazdem ogrzewanie.

Ona na ogół rozkręca kaloryfery na MAKSA. Kiedy jest w domu, ma tu takie tropiki, że człowiek musi jeść lody nad otwartą zamrażarką. Inaczej rozpuściłyby mu się w rękach.

Zaraz po wejściu do środka podkręciłem termostat. Chwilę to zajęło, zanim zrobiło się ciepło, więc żeby nie tracić czasu, włączyłem PIEKARNIK.

Babcia trzyma w lodówce różne łakocie, no to się nimi poczęstowaliśmy. Ale podczas jedzenia zobaczyliśmy KOGOŚ za oknem.

To była pani McNeil, wścibska sąsiadka babci. Musiała przyuważyć światło otwieranej lodówki, więc przylazła i próbowała coś wypatrzyć.

Czailiśmy się po kątach, aż w końcu pani McNeil odpuściła sobie i poszła. Ale ja zrozumiałem, że musimy zachować OSTROŻNOŚĆ. Ostatnie, czego potrzebowaliśmy, to GLINY. No więc starając nie rzucać się w oczy, przeszliśmy do salonu, gdzie stał telewizor.

Babcia ma kablówkę ze WSZYSTKIMI kanałami i na szczęście nie odłączyła jej na zimę. Nie chcieliśmy jednak ryzykować spotkania z panią McNeil, więc przykryliśmy się kocem razem z TELEWIZOREM.

Chyba straciliśmy rachubę czasu, bo kiedy wyłączyliśmy telewizję, na dworze było już CIEMNO. W domu babci za to zrobiło się ciepło i przytulnie. Naprawdę nie miałem ochoty wychodzić na mróz, więc wymyśliłem, jak UPRZYJEMNIĆ sobie resztę drogi.

Postanowiłem podgrzać nasze ciuchy przed wyjściem. W tym celu ja i Rowley poszliśmy do piwnicy, gdzie babcia ma pralkę, i załadowaliśmy suszarkę ubraniami.

Ustawiliśmy półgodzinny program i czekaliśmy. Ale czuliśmy się trochę dziwnie, chodząc w samych majtkach.

Poza tym trochę już ZMARZLIŚMY. I dlatego zaczęliśmy się rozglądać za jakimiś CIUCHAMI. Rowley włożył bluzę, którą sprezentowałem babci na jej urodziny. Ale ja czułbym się NIESWOJO, chodząc w BABCINYCH fatałaszkach.

W końcu wpadł mi w ręce sweterek, który babcia wydziergała dla Słodzika, i wyobraźcie sobie, że pasował. Ale zaraz wszystko zaczęło mnie SWĘDZIEĆ, a ja nie mogłem sobie przypomnieć, czy Słodzik miał kiedyś PCHŁY.

DRAP
DRAP

Już chciałem szukać innego ubrania, gdy z góry dobiegły nas jakieś DŹWIĘKI.

Pomyślałem, że babcia musiała dać drugi klucz pani McNeil i że sąsiadka właśnie weszła do domu. Ale Rowley powiedział, że to pewnie WŁAMYWACZ, który wie, że właścicielka jest na wakacjach. A ja stwierdziłem, że on chyba ma RACJĘ.

KROK   KROK

Usłyszeliśmy głośne kroki nad sobą, a kiedy drzwi do piwnicy się otworzyły, wpadliśmy w panikę.

Rozejrzałem się wokół w poszukiwaniu czegoś do OBRONY WŁASNEJ, ale znalazłem tylko przepychaczkę do kibla.

Rowley złapał cytrynową piankę do kurzu i jedną z torebek babci. A gdy kroki rozległy się na SCHODACH, przygotowaliśmy się na najgorsze.

Nagle kroki się zatrzymały, a wtedy MY ruszyliśmy do ATAKU.

I zaraz się okazało, że to nie pani McNeil ani nie
WŁAMYWACZ. To była MAMA.

Przyszła zrobić u babci pranie, bo nasza domowa
pralka się zepsuła.

Mama była bardzo oszczędna w słowach. Powiedziała
tylko, żebyśmy się przebrali w swoje ciuchy i wsiedli
do samochodu. A po drodze milczała JAK ZAKLĘTA,
co było naprawdę PODEJRZANE.

Myślałem, że gdy tylko Rowley wysiądzie, zaraz mi się dostanie za wtargnięcie do domu babci. Ale mama W OGÓLE nie poruszyła tematu i nawet nie powiedziała nic tacie.

Kiedy skończyłem zmywać naczynia, oświadczyła, że chce ze mną porozmawiać NA OSOBNOŚCI. Stwierdziła, że u chłopców w moim wieku zabawa w odgrywanie ról jest czymś „zupełnie normalnym" i że nie ma się czego wstydzić. Potem dodała, że jest zadowolona ze mnie i z Rowleya, bo zamiast grać w gry wideo, „używaliśmy wyobraźni".

Nie mam POJĘCIA, co ona sobie pomyślała i co jej zdaniem robiliśmy w piwnicy babci. Ale, szczerze mówiąc, już WOLAŁBYM dostać szlaban.

Środa

Przez ostatnie dni padało, a ostatniej nocy znów
przybyło jakieś trzy i pół centymetra śniegu.
Niestety to nie wystarczyło, żeby odwołać lekcje.
Nawet gdyby napadało WIĘCEJ, pewnie i tak nie
zamknięto by szkoły.

Mamy określoną liczbę „śniegowych dni" każdego roku
i jak przekroczymy limit, musimy je odrabiać
w wakacje. A my tej zimy wykorzystaliśmy już prawie
wszystkie, choć nie zawsze ze względu na ŚNIEG.

W grudniu szkoła była przez trzy dni zamknięta
z powodu WSZY.

Lily Bodner niechcący przyniosła je do szkoły, a one się ROZLAZŁY, gdy razem z koleżankami zaczęła sobie pstrykać słitfocie.

No więc gdy w lipcu będziemy pocić się w klasie, podziękujemy za to Lily i jej selfikom.

Czasem, gdy śnieg pada rano, odwołują nam POŁOWĘ zajęć. Ale ja za tym nie przepadam, bo, tak czy siak, muszę się zwlec ze wzgórza.

NAJGORZEJ jest wtedy, gdy dyrektor ogląda prognozę pogody i decyduje, że następny dzień będzie POŁÓWKOWY.

Podczas połówkowych dni mamy te same lekcje co zawsze, ale wszystko zajmuje połowę czasu. Także SIEDZENIE W KOZIE. Więc szkolni dręczyciele wiedzą, że jeśli coś przeskrobią PRZED połówkowym dniem, dostaną tylko POŁOWĘ kary.

Czasem szkoła jest zamykana, bo MA PADAĆ, a jednak potem NIE PADA. To dlatego, że nauczyciele wierzą pogodynkowi z lokalnej TV, a on się myli w 50% przypadków.

W sylwestra Gary powiedział, że w Nowy Rok będzie pogoda na krótki rękaw, a zamiast tego spadło ponad siedem centymetrów śniegu. No więc gdy ludzie wyhaczyli go w spożywczaku, dali mu do zrozumienia, że nie są zadowoleni.

Szczerze mówiąc, nie wiem, dlaczego ten koleś jeszcze NIE WYLECIAŁ z pracy. Ale pewnie nie straci posady, dopóki ludzie tacy jak moi rodzice chcą go co wieczór oglądać.

Dziś rano nie mogłem odszukać jednej rękawiczki,
więc musiałem znaleźć dla niej jakieś zastępstwo.
Byłem już spóźniony, dlatego z braku laku złapałem
pacynkę, którą mama próbowała mnie kiedyś zachęcić
do zdrowego jedzenia.

Mama chyba sądziła, że jeśli Pan Chaps będzie lubił
warzywa, to ja też je polubię. Ale ja zamiast tego
KARMIŁEM Pana Chapsa jarzynami. A gdy dziś
znalazłem go w szafie, nadal miał na twarzy plamy
z groszku, którego nie chciałem zjeść w drugiej klasie.

Wiem, że to trochę głupie używać pacynki zamiast rękawiczki, dlatego przez WIĘKSZOŚĆ czasu pamiętałem, żeby trzymać rękę w kieszeni.

Ale kiedy Cassie Drench przejeżdżała obok mnie pikapem swojej mamy, KOMPLETNIE o Panu Chapsie zapomniałem.

Skoro już mowa o DZIEWCZYNACH, w Patrolu Bezpieczeństwa nastąpiła ostatnio WIELKA zmiana.

Wcześniej pełnili w nim służbę głównie CHŁOPCY, ale większość zrezygnowała albo została wyrzucona przed początkiem nowego roku.

Ostatnim dwóm niedobitkom, Ericowi Reynoldsowi i Dougiemu Finchowi, którzy dzielili się funkcją kapitana, odebrano odznaki w pierwszym tygodniu stycznia. Zdymisjonowano ich za bitwę na śnieżki na oczach przedszkolaków.

No więc teraz Patrol jest stuprocentowo DZIEWCZYŃSKI. I dam sobie głowę uciąć, że nasze koleżanki dokładnie to ZAPLANOWAŁY.

A wszystko dlatego, że chłopakom z mojej szkoły czasem KONKRETNIE odwala. SZCZEGÓLNIE kiedy pada ŚNIEG.

Dziewczyny chyba w końcu miały tego DOSYĆ i wzięły sprawy w swoje ręce.

Teraz, kiedy ONE wszystkim rządzą, naprawdę nie ma żartów. Jeśli człowiek ciśnie chociaż jedną śnieżkę między poniedziałkiem a piątkiem, zaraz trafia do dyrektora. A to oznacza zawieszenie w prawach ucznia.

No więc dziewczyny tylko CZEKAJĄ, żeby któryś z nas się wychylił.

Dziś rano droga była odśnieżona, ale chodnik już NIE.
W takich sytuacjach ja i Rowley po prostu idziemy po
jezdni. Ale te laski z Patrolu są okropnymi służbist-
kami i nie pozwalają nam na to, chociaż SAME łażą
środkiem drogi.

Po nieodśnieżonym chodniku zwyczajnie NIE DA SIĘ
chodzić. Zwłaszcza gdy ludzie właśnie odkopują swoje
samochody.

Czasem trudno się nawet domyślić, GDZIE jest chodnik. A dzisiejszego ranka prawie rozwaliłem sobie kolano o ukryty w zaspie hydrant przeciwpożarowy.

To NIE W PORZĄDKU, że wszystkie CHŁOPAKI muszą zasuwać CHODNIKIEM, podczas gdy DZIEWCZYNOM wolno chodzić po ulicy.

Ja i Rowley dotarliśmy dziś do szkoły wykończeni.
A dziewczyny z naszej klasy były świeże i pachnące.
Jeśli któraś z nich przypadkiem zostanie prezyden-
tem, to dlatego, że w gimnazjum dostała straszne
fory.

W sumie nie dziwię się Patrolowi, że daje nam łupnia.
Większość kolesi w moim wieku to ZWIERZAKI,
które psują opinię dobrze wychowanym gościom.
Takim jak JA.

Teraz, kiedy układ sił w Patrolu uległ zmianie, widzę
sposób, żeby odciąć się od tych PRZYGŁUPÓW.

Gdybym znów dostał się do Patrolu, mógłbym walczyć po stronie DOBRA. Wystawiałbym dziewczynom zadymiarzy, a one byłyby mi BARDZO wdzięczne.

Z jakiegoś powodu chodzenie na skargę jest źle widziane w mojej szkole. Jeśli doniesiesz na dzieciaka, który NAROZRABIAŁ, wszyscy mówią, że jesteś skarżypytą, a potem trudno pozbyć się tej łatki.

Moim zdaniem najbardziej na tym korzystają szkolni DRĘCZYCIELE. Jestem wręcz pewien, że sami to WYMYŚLILI.

Ja sam nie mam ŻADNYCH problemów z donoszeniem.
Na byciu informatorem chyba można nawet
ZAROBIĆ.

Rodrick opowiedział mi o ziomku z ogólniaka, który
okazał się tajniakiem z wydziału narkotykowego.
Gość UDAWAŁ licealistę, ale tak naprawdę był gliną
POD PRZYKRYWKĄ.

Słyszałem już o podobnych wypadkach i czasem
jestem ciekaw, czy do GIMNAZJUM też chodzą
jacyś tajniacy.

W szkole mamy teraz nowego, Shane'a Browninga. Typ
pojawił się w środku roku i wygląda na dużo starszego
od wszystkich. Zaczynam się zastanawiać, czy to
przypadkiem nie TAJNIAK.

Na wszelki wypadek przekazuję mu pewne informacje.

Tak czy inaczej, śnieg powoduje masę PROBLEMÓW. Przez ostatnie dni chodziliśmy po szkole w buciorach i na korytarzach było mnóstwo śladów.

No więc dzisiaj nauczyciele kazali nam zostawić śniegowce przy wejściu. Ale tymczasem śnieg z butów się stopił i powstała MEGAKAŁUŻA.

Wtedy dzieciaki zaczęły PRZEŁAZIĆ przez tę kałużę do klas i niedługo później wszyscy mieliśmy przemoczone SKARPETKI. No a przed trzecią lekcją na korytarzach zrobiła się totalna ZADYMA.

Doszło do tego, że nauczyciele skonfiskowali nam wszystkie skarpety i zabrali je do sekretariatu.

Ale banda bosych gimnazjalistów to też niezbyt fajna opcja.

Po lekcjach wszyscy poszliśmy do sekretariatu odebrać naszą własność. Tylko że większość skarpet wygląda IDENTYCZNIE, więc nikt nie mógł rozpoznać SWOICH.

Na szczęście Jake McGough ma węch jak pies myśliwski i dobrał do każdego dzieciaka właściwe skarpetki.

Dokonał tej sztuki nawet w przypadku BLIŹNIAKÓW,
a sami przyznacie, że to IMPONUJĄCY wyczyn.

Wracając ze szkoły, byłem zadowolony, że trochę się
ocipliło, bo nie musieliśmy zahaczać o chatę babci.
Ale to nie znaczy, że wszystko poszło GŁADKO.

Nam, uczniom, nie wolno rzucać się śnieżkami
w drodze do domu. POTEM jednak możemy robić, co
nam się spodoba.

Dlatego dzieciaki, które mieszkają najbliżej, zosta-
wiają plecaki w domu, a następnie napadają na tych,
którzy jak ja i Rowley mają jeszcze przed sobą
DŁUGĄ drogę.

Patrolowi TEŻ się wtedy dostaje. Ale prawo to prawo, więc dziewczyny nawet nie mogą ODDAĆ.

Zresztą często obrywają z DWÓCH stron jednocześnie. Bo część dzieciaków podwożonych do domu WRACA, by włączyć się do gry.

Jutro znów ma spaść parę centymetrów śniegu.
Powiedziałem rodzicom, że zbieram na SKUTER
ŚNIEŻNY i że droga do szkoły zimą przestanie
w końcu być udręką.

Mama i tata natychmiast zaczęli wymieniać powody,
dla których gimnazjalista NIE MOŻE mieć skutera
śnieżnego, aż po chwili zupełnie się wyłączyłem.

Zawsze gdy wpadam na jakiś dobry pomysł, moi rodzice
totalnie mnie gaszą. Dokładnie to samo zrobili
poprzedniej zimy, kiedy poważnie myślałem o saniach
z psim zaprzęgiem.

Przyszło mi wtedy do głowy, że jeśli kupię psy i je
wytrenuję, będę docierać do szkoły w mgnieniu oka.

Rodzice chyba sądzili, że ŻARTUJĘ, bo jeszcze mnie zachęcali.

Lecz gdy za wszystkie gwiazdkowe pieniądze kupiłem od jakiejś babki na ulicy cały karton SZCZENIACZ-KÓW, kazali mi je odnieść.

Czwartek

Dziś sobie przypomniałem, dlaczego ze wszystkich
pór roku najbardziej nie lubię zimy.

To był kolejny dzień ze śniegiem, ale postanowiłem
odpowiednio się do niego przygotować. Przed
wyjściem do pracy tata napalił w kominku, więc
przyszło mi na myśl, że mogę ogrzać sobie kurtkę
i buty.

Tylko że położyłem buty zbyt blisko ognia i ich
gumowe podeszwy stopiły się jak masło. No a kiedy
już miałem wychodzić, one ANI DRGNĘŁY.

Rowley mógł przyjść dosłownie za moment, czyli
musiałem błyskiem załatwić sobie jakieś INNE
obuwie.

Wiedziałem, że Patrol zgoni nas z jezdni, a moje trampki PRZEMOKNĄ na śniegu.

No więc z pudełek po pizzy i taśmy klejącej skonstruowałem RAKIETY ŚNIEŻNE. A kiedy Rowley zapukał do drzwi, byłem GOTOWY do drogi.

Muszę przyznać, że rakiety śnieżne spisały się lepiej, niż przypuszczałem. Mknąłem w nich jak wiatr i Rowley z trudem za mną nadążał.

SZAST   PRAST

Lecz gdy dotarliśmy na początek ulicy, całkiem się rozpadły.

Pudełka ROZMIĘKŁY i nagle zacząłem grzęznąć w zaspach. Było jeszcze GORZEJ niż w samych trampkach, bo musiałem WLEC te mokre kartony.

CHLUP   CHLUP

Wiedziałem, że nic już z nich nie będzie, więc poprosiłem Rowleya, żeby pomógł mi pozbyć się pudełek. Ale to okazało się NIEMOŻLIWE, bo dwa razy okręciłem je taśmą klejącą.

GRYZ

GRYZ

Niestety znajdowaliśmy się właśnie przy posesji państwa Guzmanów, a oni mają chyba z jedenaście psów. No i te zwierzaki bardzo się nami zainteresowały, co nie było ani trochę pomocne.

W końcu psy zrobiły się NAPASTLIWE. Zaczęły szarpać i drzeć pudełka. Wtedy sobie przypomniałem, że w środku zostało jeszcze trochę PIZZY.

Psy zżuły pudełka i na szczęście zostawiły w spokoju moje NOGI. Zabraliśmy się stamtąd jak najszybciej, ale trampki znowu mi przemokły.

Gdy jednak stanąłem na odśnieżonej jezdni, znikąd wyrósł PATROL i zaczął na mnie gwizdać. No więc, chcąc nie chcąc, wróciłem na chodnik.

I zaraz potem poczułem przenikliwy ZIĄB. Bałem się, że stracę PALCE, jeśli zaraz ich nie ogrzeję. Do szkoły było jeszcze daleko i sytuacja robiła się rozpaczliwa.

Wtedy zaczęliśmy przystawać co kilka domów, żebym mógł ogrzać sobie stopy przy wywietrznikach odprowadzających gorące powietrze. Trzymałem je tak, aż odzyskiwałem czucie w palcach albo ktoś mnie przeganiał.

Wreszcie dowlekliśmy się do szkoły. Ale od razu do mnie dotarło, że W ŚRODKU jest prawie tak samo zimno jak NA ZEWNĄTRZ.

Najwyraźniej nasz nocny stróż nie był w stanie znieść poskarpetkowego smrodu.

No i pootwierał wszystkie okna, żeby przewietrzyć szkołę.

Ale potem chyba zapomniał je POZAMYKAĆ. System ogrzewania nie dawał sobie rady z mrozem, więc w końcu się wyłączył. A to oznaczało dla nas cały dzień w LODOWNI.

Z początku nauczyciele pozwolili uczniom zostać w kurtkach, szalikach i czapkach. Ale potem chyba uznali, że to głupie, bo kazali nam się przebrać.

Na lekcji historii MY przemarzliśmy na KOŚĆ, ale NIE nasza nauczycielka. A to dlatego, że pani Willey trzyma przy biurku grzejniczek przenośny, który dzisiaj rozkręciła NA MAKSA.

W samym środku lekcji jedna dziewczyna, Becky Cosgrove, przewróciła swoją ławkę i zaczęła wrzeszczeć.

Za karę pani Willey kazała jej usiąść obok siebie. A MY dopiero chwilę później załapaliśmy, o co chodziło Becky.

Gimnazjaliści to debile, więc nim minęło pół minuty,
WSZYSCY próbowali zasłużyć na karę, żeby usiąść
obok pani Willey.

Przez resztę dnia każdy starał się jakoś ogrzać.
Niektóre dzieciaki miały naprawdę ZWARIOWANE
pomysły.

Parę tygodni temu wystawialiśmy w szkole przedsta-
wienie, więc jeden koleś wyciągnął z garderoby
KOSTIUM TEATRALNY.

Podczas gdy my dygotaliśmy z zimna W ŚRODKU, śnieg sypał coraz mocniej NA DWORZE. Podczas czwartej lekcji ludzie zaczęli świrować ze strachu, że utkniemy tu NA NOC.

Jakieś małolaty wykupiły całe żarcie w stołówce, na wypadek gdyby faktycznie nas zasypało. Wtedy RESZTA wpadła w panikę, a małolaty przypuściły szturm na automat z przekąskami.

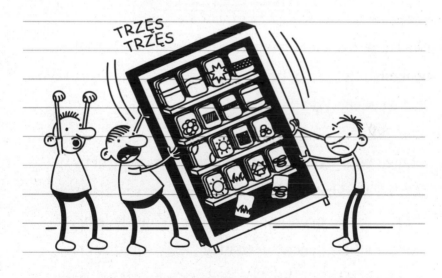

Każdy próbował zdobyć COKOLWIEK jadalnego. Gdy szkołę obiegła pogłoska, że w sali przyrodniczej jest jakieś żarcie, część dzieciaków zaraz TAM poleciała.

Po czym wycisnęła to miejsce jak CYTRYNĘ.

W końcu dyrekcja, bojąc się ZAMIESZEK, wypuściła nas wcześniej do domu.

Cóż, to była świetna wiadomość dla tych, którzy jeżdżą do domu AUTOBUSEM, ale gorsza dla tych, którzy jak ja drałują na piechotę. Naprawdę nie marzył mi się spacer w zamieci, więc wpadłem na pewien POMYSŁ. Whirley Street to w sumie ulica w SĄSIEDZTWIE, a zatem Rowley i ja mogliśmy przejechać się tam autobusem i dopiero STAMTĄD wrócić do domu.

Gdy tylko nauczyciele nas wypuścili, ruszyliśmy
na przystanek. Ukryliśmy swoją TOŻSAMOŚĆ pod
szalikami, dlatego nikt nas NIE ROZPOZNAŁ, kiedy
wsiedliśmy do autobusu.

Muszę przyznać, że czułem się NIESWOJO
w otoczeniu dzieciaków z Whirley Street, bo one są
naszymi WROGAMI. Zawsze próbowały zjeżdżać na
sankach ze wzgórza, dopóki nie odkryły trzynastego
dołka na polu golfowym.

Ten trzynasty dołek jest prawdziwą LEGENDĄ.
Wszyscy wiedzą, że to najlepsze miejsce na sanki
w całym mieście. Problem polega jednak na tym, że
należy ono do klubu golfowego. Czyli każdy, kto tam
zjeżdża, robi to NIELEGALNIE.

W zeszłym roku chciałem zobaczyć, o co tyle hałasu, więc namówiłem Rowleya, żebyśmy tam zajrzeli. Ale on okropnie się ZDENERWOWAŁ, bo mieliśmy zrobić coś NIEZGODNEGO Z PRAWEM.

Musiałem mu przypomnieć, że cała jego rodzina NALEŻY do klubu golfowego, więc, praktycznie rzecz biorąc, to nawet nie byłby włam.

Ale Rowley chyba się bał, że jego rodzice stracą członkostwo w klubie, jeśli ON zostanie przyłapany. Dlatego, żeby nikt go nie rozpoznał, zaczął bardzo szybko trząść głową. Trząsł nią aż do momentu, w którym stamtąd poszliśmy.

Trzynasty dołek rzeczywiście okazał się ODLOTOWY.

Górka była naprawdę STROMA, a ktoś usypał na stoku dużą zaspę, tak więc zjeżdżający zaliczali LOT.

Zrobiliśmy parę rundek, lecz wtedy zjawiły się dzieciaki z Whirley Street i wszystkich wykopały, bo chciały mieć całe pole golfowe dla SIEBIE.

Chociaż w sumie nie mam im tego za złe. Jeśli tylko będą omijać naszą ULICĘ, mogą się nawet udławić swoim POLEM GOLFOWYM.

Przejażdżka autobusem z dzieciakami z Whirley Street nie należała do przyjemności, ale ja i Rowley po prostu staraliśmy się nie zwracać na siebie uwagi.

Już prawie dotarliśmy na miejsce, gdy jeden z kolesi na końcu zrobił coś naprawdę GŁUPIEGO. Ten tuman rzucił śnieżką w AUTOBUSIE.

RZUT

CIAP

Kobieta, która kierowała autobusem, zahamowała. Oświadczyła, że nie pojedzie dalej, póki nie znajdziemy WINOWAJCY.

Jak mówiłem, donoszenie jest w gimnazjum bardzo źle widziane, więc nikt z ekipy na końcu nie pisnął ani SŁOWA. Ja jednak żałowałem, że nie wiem, kto rzucił tą śnieżką, bo wydałbym go BEZ MRUGNIĘCIA OKIEM.

Byłem pewny, że babka BLEFUJE i że zaraz ruszymy.

Ale wtedy ona wyciągnęła skądś KSIĄŻKĘ i otworzyła ją na stronie PIERWSZEJ. No więc wszyscy przez jakąś GODZINĘ czekaliśmy, aż skończy.

Najgorsze było to, że kobieta wyłączyła SILNIK, więc nie mieliśmy OGRZEWANIA.

Z tyłu autobusu trwała jakaś dyskusja. Chyba część dzieciaków próbowała przekonać tego od śnieżki, żeby w końcu się przyznał.

Z ciekawości odwróciłem głowę, ale nie powinienem był tego robić, bo jeden ósmoklasista natychmiast mnie ZDEMASKOWAŁ.

To była szybka piłka. Ci goście potrzebowali KOZŁA OFIARNEGO, a ponieważ byłem OBCY, długo się nie zastanawiali.

Kobieta powiedziała, że mam NATYCHMIAST opuścić autobus. A mnie to nawet pasowało, bo teraz, gdy kolesie z Whirley Street nas nakryli, i tak należało PRYSKAĆ. No więc wysiadłem, a Rowley zaraz za mną.

Od Surrey Street dzieliło nas jakieś półtora kilometra. Na tej drodze nie ma chodników, ale Patrol Bezpieczeństwa nie zapuszcza się tak daleko, więc po prostu poszliśmy jezdnią.

Pięć minut później usłyszeliśmy jakieś gniewne okrzyki. To była banda dzieciaków z Whirley Street, która nas ŚCIGAŁA.

Ci debile najpierw NAŚCIEMNIALI, że to ja rzuciłem śnieżką, a potem sami w tę wersję UWIERZYLI i dostali SZAŁU.

Ja i Rowley musieliśmy podjąć decyzję. Albo stawić czoło wściekłemu tłumowi, albo rzucić się do ucieczki. A uciec mogliśmy tylko do LASU.

Wierzcie mi, WCALE nie chciałem się tam zapuszczać. Każdy wie, że w lesie za tą drogą mieszka KOZOCHŁOP. Właśnie dlatego nikt tędy chodzi.

O Kozochłopie pierwszy raz usłyszałem od Rodricka, który mi powiedział, że to pół człowiek, pół kozioł.

Nie miałem pewności, czy górna część Kozochłopa należy do CZŁOWIEKA, a dolna do KOZŁA, czy może odwrotnie. Ale tak czy inaczej, facet był przerażający.

Ja i Rowley od LAT dyskutujemy na temat wyglądu Kozochłopa. On uważa, że ten stwór wcale nie dzieli się na część górną i dolną, tylko na prawą i lewą.

Cóż, nie wykluczam, że Rowley ma rację, choć osobiście uważam, że ta teoria jest GŁUPAWA.

Fajnie jest opowiadać historyjki o pół człowieku, pół
koźle, gdy kumpel nocuje u was w domu, leżycie sobie
w śpiworach i nic złego nie może się zdarzyć. Ale
teraz, kiedy zagłębialiśmy się w las Kozochłopa, nie
było nam DO ŚMIECHU.

Dzieciaki z Whirley Street też musiały wiedzieć
o Kozochłopie, bo kiedy wbiegliśmy do lasu, przestały
nas gonić. Najpierw pomyślałem, że po prostu
postoimy sobie w jednym miejscu i poczekamy, aż
PÓJDĄ. Naprawdę nie chciałem spędzać w tym lesie
ani chwili więcej, niż to było KONIECZNE.

Ci goście jednak najwyraźniej wiedzieli, że mamy stracha, bo cierpliwie czekali na nas przy drodze.

No więc zostało nam tylko jedno wyjście. Zapuścić się w głąb lasu. I to właśnie zrobiliśmy.

Tam w środku panowała niesamowita CISZA. Po chwili zorientowałem się, że nie słyszę samochodów, i wtedy coś zrozumiałem. Poszliśmy ZA DALEKO.

Zawróciliśmy po śladach, ale słońce już zachodziło i coraz gorzej orientowaliśmy się w terenie.

Przyspieszyliśmy kroku, bo nie chcieliśmy, żeby NOC zastała nas w lesie. Aż w pewnej chwili natrafiliśmy na jakieś tropy i ZDRĘTWIELIŚMY.

Z początku myśleliśmy, że to ślady KOZOCHŁOPA. Wtedy jednak zauważyliśmy, że należą do NAS. A to oznaczało, że przez ostatnie dziesięć minut kręciliśmy się W KÓŁKO.

Dlatego ruszyliśmy w PRZECIWNĄ stronę. Lecz nagle natknęliśmy się na STRUMIEŃ, a do mnie dotarło, że zgubiliśmy drogę.

PLUSK PLUSK

Rowley wpadł w PANIKĘ, ale ja zachowałem zimną krew. Wiedziałem, że gdy człowiek zgubi się w dziczy, przeżyje, o ile ma WODĘ.

Widziałem film o jakichś podróżnikach, którzy zaginęli w górach, ale znaleźli źródełko i przetrwali.

Wtedy jednak mi się przypomniało, że z DESPERACJI zjedli swoje zwierzęta juczne. Cóż, miałem nadzieję, że w NASZYM przypadku do tego nie dojdzie.

Pomyślałem, że jeśli pójdziemy wzdłuż strumienia, DOKĄDŚ nas to doprowadzi, a przynajmniej nie zgubimy się po raz drugi. Lecz kiedy natrafiliśmy na bobrzą tamę, Rowley zaczął świrować.

Powiedział, że bobry są NIEBEZPIECZNE i że widział
w jakimś programie w telewizji bobra atakującego
CZŁOWIEKA.

Z niego to jednak jest przygłup. Program, o którym
mówił, był KRESKÓWKĄ. Wiem, bo oglądałem ją
razem z nim.

DZIEŃ BOBRY!

Tak czy siak, Rowley nie dał się przekonać do dalszej
drogi wzdłuż strumienia i znowu musieliśmy
ZAWRÓCIĆ. A teraz było już NAPRAWDĘ ciemno.
Po paru minutach dostrzegłem jednak jakieś światło.
Pomyślałem, że to może reflektory samochodu, więc
pobiegliśmy w tamtym kierunku.

I wiecie co? To RZECZYWIŚCIE był samochód, tylko że okazał się kupą zardzewiałego żelastwa w środku głuszy. A światło, które dostrzegłem, było odbitym w zderzaku KSIĘŻYCEM.

Kiedy mój wzrok oswoił się z księżycowym blaskiem, zdałem sobie sprawę, że wokół jest WIĘCEJ porzuconych aut i ciężarówek.

Nagle zobaczyłem na pniaku coś błyszczącego, więc to podniosłem. Ta rzecz była zimna i metalowa, a kiedy zbliżyłem ją do twarzy, żeby dokładniej się przyjrzeć, NATYCHMIAST zrozumiałem, na co patrzę.

Na SPRZĄCZKĘ OD PASKA należącą do niejakiego MECKLEYA.

Co oznaczało, że Rowley i ja trafiliśmy do OBOZU MINGÓW.

Ludzie z miasteczka od zawsze się zastanawiają, gdzie mieszkają Mingowie, a teraz my dwaj wylądowaliśmy w ich MATECZNIKU.

Pomyślałem, że mamy SZCZĘŚCIE, bo przynajmniej na żadnego NIE WPADLIŚMY. Ale kiedy chcieliśmy się już ZMYWAĆ, coś złapało mnie za RĘKĘ!

A wyrażając się ściślej, coś złapało Pana Chapsa. Byłem PRZEKONANY, że to Meckley Mingo, który zaraz mnie ZAŁATWI, bo ośmieliłem się podnieść jego sprzączkę.

Ale szybko odetchnąłem z ULGĄ, gdyż Pan Chaps po prostu zaczepił się o klamkę ciężarówki. Kiedy to zrozumiałem, zacząłem go ciągnąć.

Wtedy jednak usłyszeliśmy jakieś dźwięki dobiegające z CIĘŻARÓWKI. Zrozumiałem, że mogę ocalić albo SIEBIE, albo PACYNKĘ, no i nie zastanawiałem się długo.

Ja i Rowley daliśmy drapaka. Ale gdy już się oddaliliśmy od obozu Mingów, nagle dobiegł nas dźwięk mrożący krew w żyłach.

Nie wiedziałem, czy to KOZOCHŁOP, czy może Mingowie.

Wiedziałem za to, że jeśli się zatrzymamy, niebawem będziemy MARTWI.

Usłyszałem z tyłu jakieś krzyki, które coraz bardziej się PRZYBLIŻAŁY. Ale w OSTATNIEJ chwili wypadliśmy na otwartą przestrzeń.

Całe szczęście, że tata jest OSTROŻNYM kierowcą. Inaczej ktoś by musiał ZESKROBAĆ nas z drogi.

Lecz to przynajmniej byłaby SZYBKA śmierć.
W odróżnieniu od śmierci z rąk MINGÓW.

Piątek

Dziś rano obudziłem się WYKOŃCZONY. Nie czułem nóg od biegania po lesie, a w nocy ciągle męczył mnie koszmar o goniących nas Mingach.

Już chciałem powiedzieć mamie, że nie mogę pójść dzisiaj do szkoły, kiedy wyjrzałem przez okno i odkryłem, że wcale NIE MUSZĘ.

Przez noc spadło prawie piętnaście centymetrów śniegu, czyli szkoła była ZAMKNIĘTA. Zapowiadał się dzień słodkiego NIERÓBSTWA.

Mama i tata wyszli już do pracy, a Manny był w przedszkolu. Rodrick na ogół śpi do pierwszej po południu, kiedy nie chodzi do szkoły, więc cały dom należał do MNIE.

Poszedłem na dół, żeby zrobić sobie płatki z mlekiem i włączyć telewizor. Ale coś było nie tak z PILOTEM.

Zwróciłem uwagę, że jest LŻEJSZY niż zwykle, więc go otworzyłem, żeby sprawdzić baterie.

No a w środku nie było ani JEDNEJ baterii. Był za to liścik od MAMY.

Jeśli chcesz odzyskać
baterie do pilota,
załaduj zmywarkę.

Naprawdę nie uśmiechały mi się obowiązki domowe w taki dzień jak TEN, więc przeczesałem cały dom. Ale mama musiała to PRZEWIDZIEĆ, bo baterii NIGDZIE nie było.

Nie mam pojęcia, jak ona się dowiedziała, że włożyłem naczynia do zmywarki, lecz gdy załadowałem ostatni talerz i zamknąłem drzwiczki, coś na nich znalazłem.

To była BATERIA. A razem z nią kolejny LIŚCIK.

> *Gratulacje!*
>
> *Posprzątaj łazienkę*
> *na piętrze, żeby zdobyć*
> *kolejną baterię!*

Nie podobał mi się taki rozwój wydarzeń. Do pilota potrzeba CZTERECH baterii, co oznaczało, że zmarnuję dzień na PORZĄDKI.

Ale wtedy zrozumiałem, że NIEKONIECZNIE. Byłem pewien, że pilot w sypialni rodziców działa na JEDNĄ baterię.

I rzeczywiście, miałem RACJĘ. Wiedziałem co prawda, że muszę dokończyć sprzątanie, zanim wrócą mama i tata, ale było jeszcze mnóstwo czasu, a ja zasługiwałem na odrobinę relaksu. No więc ułożyłem się wygodnie na łóżku i włączyłem TV.

Zwykle nie leżę w ich łóżku, bo czuję się wtedy nie- zręcznie, ale postanowiłem, że tym razem zrobię wyjątek. SZCZEGÓLNIE że odkryłem tu koc od ciotki Dorothy.

Oglądanie telewizji w łóżku było MEGA, a w każdym razie przez jakiś czas. Bo gdy minęły DWIE godziny, od leżenia w jednej pozycji zaczęła boleć mnie szyja.

To już postanowione. Gdy będę miał własny dom, powieszę telewizor na SUFICIE, żebym mógł oglądać TV na leżąco. Ale najpierw poszukam montera, który wie, co robi, bo nie chcę zostać drugim Spłaszczonym Stasiem.

Musiałem na chwilkę przysnąć, ponieważ nagle zerwałem się na dźwięk telefonu. To była MAMA, a ja od razu pomyślałem, że sprawdza, czy skończyłem sprzątać.

Ale w rzeczywistości chciała tylko powiedzieć, że nie zdąży odebrać Manny'ego z przedszkola, więc młodego przywiezie pani Drummond.

Co oznaczało, że do jej przyjazdu będę robić za
NIAŃKĘ i zrujnuję sobie resztę dnia.

Kiedy pani Drummond przywiozła Manny'ego pół
godziny później, nie miałem pojęcia, CZYM go zająć.
W końcu posadziłem młodego w pokoju rodziców
i włączyłem mu bajkę, ale on zaraz wrócił na dół.
Najwyraźniej chciał coś porobić ZE MNĄ.

Próbowałem sobie przypomnieć, w co bawił się ze mną
Rodrick, kiedy byłem mały. Ale pamiętałem tylko, jak
mi naściemniał, że sok z cytryny to ORANŻADA.

BLECH!

Potem jednak przypomniałem sobie o zabawie, która była całkiem FAJNA. Ja i Rodrick udawaliśmy, że podłoga to WRZĄCA lawa, i skakaliśmy po zagłówkach i poduszkach.

Mogliśmy się w to bawić GODZINAMI. Pomyślałem, że wyjaśnię młodemu zasady, a sam ogarnę sprzątanie. Ale kiedy powiedziałem Manny'emu, o co chodzi, on prawie dostał ZAWAŁU.

Wiedziałem, że teraz dzieciak za nic nie dotknie
PODŁOGI. Co poważnie skomplikowało mi życie.

Tak czy siak, musiałem uporać się z obowiązkami,
zanim rodzice wrócą do domu. A NAJGORSZYM
z nich wszystkich było odśnieżenie podjazdu.

Wiedziałem też, że Manny dostanie histerii, jeśli
zostanie sam na sam z lawą, więc ubrałem go
w zimowe ciuchy, co było pewnym wyzwaniem.

Uznałem, że kiedy ja będę odśnieżał, dzieciak może się bawić na ogrodzonym tarasie.

Śnieg okazał się mokry i ciężki, więc nie szło mi za szczególnie. Po trzydziestu minutach postanowiłem zrobić sobie przerwę i umyć ręce w ciepłej wodzie.

Chciałem też sprawdzić, co porabia Manny. Ale młodego NIGDZIE nie było. W końcu odkryłem, że zwiał po schodkach, które ulepił ze śniegu.

Smarkacz na szczęście nie uciekł DALEKO.

Wiedziałem jednak, że odtąd muszę mieć go na oku.

Dlatego zabrałem Manny'ego na podjazd. Robiło się już późno, a tata nie byłby ZACHWYCONY, gdybym nie odśnieżył przed jego powrotem.

Machałem łopatą jak szalony, a młody mi pomagał.

Śniegu było jednak za dużo, a czasu za mało. Już chciałem się poddać, gdy jakieś dziewczynki podeszły i spytały, czy odśnieżyć nam podjazd za dziesięć dolarów.

To naprawdę były SMARKULE, więc nie miałem pojęcia, jak chcą dokonać czegoś, co nie udało się mnie i Manny'emu. No ale potrzebowałem pomocy i dlatego postanowiłem dać im SZANSĘ.

Miałem pięć dolców w szufladzie, a drugie pięć mogłem wziąć ze słoika z drobnymi Manny'ego. Nie wiedziałem jednak, że małolaty przytachały ze sobą DMUCHAWĘ DO ODŚNIEŻANIA.

Cała robota zajęła im jakieś pięć minut.

Poczułem się oskubany, więc oznajmiłem, że zapłacę im trzy dolce zamiast dziesięciu.

Ale chyba nie po raz PIERWSZY ktoś kwestionował ich wynagrodzenie, bo zdmuchnęły cały śnieg Z POWROTEM i jeszcze dodały coś ekstra z trawnika.

A kiedy RODZICE wrócili do domu, podjazd wyglądał gorzej niż na samym POCZĄTKU.

Mama i tata do ósmej wieczorem suszyli mi głowę o wszystko, czego nie zrobiłem. I właśnie wtedy Rodrick zwlókł się z wyrka, żeby powitać dzień.

<u>Sobota</u>

W weekendy na ogół śpię do oporu, ale dziś mama miała wobec mnie INNE plany.

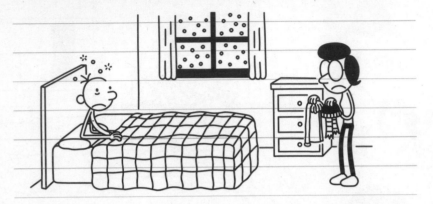

Powiedziała, że mam spędzić cały dzień na POWIETRZU. Wyjaśniłem jej, że wyjdę na dwór, jak trochę pogram w gry wideo, ona jednak przypomniała mi o WEEKEN-DACH BEZ PRĄDU i wiedziałem już, że nie ma z nią dyskusji.

Kiedy byłem mały, GODZINAMI potrafiłem bawić się na śniegu. Ale teraz wysiadam po jakichś dziesięciu minutach.

Dorośli zachowują się tak, jakby sporty zimowe były najfajniejszą rzeczą na świecie. Tylko że SAMI jakoś się do nich nie palą.

Pamiętam, że tata RAZ bawił się z nami na śniegu. Ale zabawa szybko się skończyła, kiedy Rodrick nasypał mu śniegu za KOŁNIERZ.

Mama CIĄGLE każe nam wychodzić na dwór, bo mówi, że potrzebujemy witaminy D, która podobno pochodzi ze słońca. Tłumaczę jej, że czerpię witaminę D ze słońca w grach wideo, ale ten argument jakoś do niej nie trafia.

Kiedy dzisiaj wyszedłem z domu, Manny lepił już w ogródku bałwany. Czy COKOLWIEK to było.

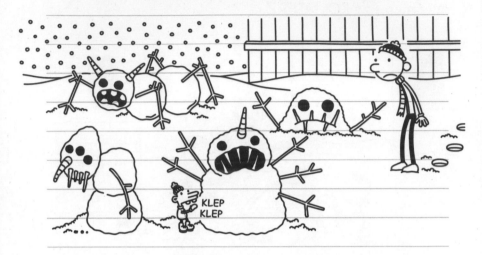

Tej jesieni nie zgrabiliśmy do końca liści, więc młody użył ich do ozdobienia swoich śniegowych kumpli. Cóż, SĄSIEDZI chyba się nie ucieszą.

Manny zużył większość śniegu z naszego ogródka,
więc nie było tam dla mnie nic do roboty. W końcu
postanowiłem sprawdzić, co porabia Rowley. To jednak
oznaczało konieczność przejścia obok domu FREG-
LEYA, na którego oczywiście zaraz się natknąłem.

Poszedłem do Rowleya głównie dlatego, że jego
rodzina ma ogrzewanie podłogowe. W zimne dni
staram się u nich spędzać tak dużo czasu, jak to tylko
MOŻLIWE.

Ale mama musiała DOMYŚLIĆ SIĘ, dokąd idę, bo zadzwoniła do rodziców Rowleya i jemu TEŻ załatwiła dzień na świeżym powietrzu.

Pomyślałem, że jeśli już mamy sterczeć na dworze, musimy wyciągnąć z tego maksimum korzyści.
A ponieważ nieźle się zmachałem, idąc Rowleya pod górkę, zdecydowałem, że pozjeżdżamy na sankach.

Pług śnieżny zazwyczaj pojawia się przed południem, tak że parę razy zjedziemy i jest po zabawie. Ale teraz gość od pługa wyjechał na URLOP, a dzieciaki ze szczytu wzgórza powiedziały jego zastępcy, że Surrey Street znajduje się trzy kilometry dalej. No więc zyskaliśmy trochę czasu.

W sumie nie sądzę, żeby było rozsądnie zadzierać z zastępcami. To ZAWSZE się na człowieku zemści. W zeszłym roku mieliśmy zastępstwo na zajęciach z algebry i pierwszego dnia wszyscy pozamienialiśmy się miejscami, bo wiedzieliśmy, że zastępca będzie nas kojarzył po planie sali.

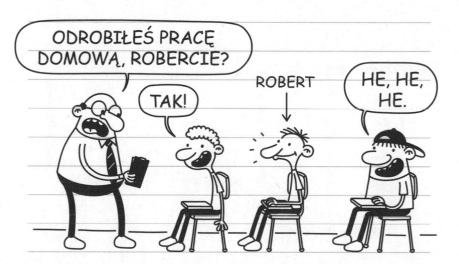

Muszę przyznać, że było prześmiesznie, kiedy on dzień w dzień zwracał się do nas, używając niewłaściwych imion. Ale gdy dzieciak udający MNIE zaczął robić ze siebie DEBILA, zrobiło się mniej zabawnie.

GREG HEFFLEY! ZŁAŹ STAMTĄD, ALE JUŻ!

W końcu wrócił pan od algebry, przeczytał skargę zastępcy na FAŁSZYWEGO Grega Heffleya i wlepił PRAWDZIWEMU dwa tygodnie kozy.

Rowley ma tylko jedne sanki, za to dwuosobowe. Zajęliśmy więc miejsca i ruszyliśmy po zboczu. No ale ważyliśmy razem tyle, że nie mogliśmy się rozpędzić i musieliśmy pomagać sobie nogami.

Na sam koniec jazdy utknęliśmy w martwym punkcie. I w sumie DOBRZE się stało, bo ten, kto zjeżdżał aż na dół, trafiał w ręce wroga.

Pomyślałem, że w sumie nie poszło nam najgorzej. Lecz wtedy zastępca kolesia od pługa śnieżnego wreszcie odnalazł Surrey Street. I było po ZABAWIE.

Stwierdziłem, że spędziliśmy na dworze wystarczająco dużo czasu, i chciałem wejść do domu. Ale mama zamknęła drzwi na zasuwkę, więc najwyraźniej wcale nie żartowała.

ZJEŻDŻAĆ już nie mogliśmy, czyli musieliśmy sobie poszukać jakiegoś INNEGO zajęcia. Postanowiliśmy, że przemyślimy sprawę na pustej działce kilka domów dalej.

I wtedy wpadłem na to, co zrobić, żeby NIE MARZNĄĆ. W szkole oglądaliśmy film o mieszkańcach Arktyki budujących IGLOO, no i przyszło mi do głowy, że my też moglibyśmy spróbować.

Ulepiliśmy ze śniegu trochę cegieł i zaczęliśmy je układać jak ludzie z tego filmu. Na początku szło ciężko, ale potem się ROZKRĘCILIŚMY. Najważniejszy był dach w kształcie kopuły, żeby cała konstrukcja NIE RUNĘŁA.

Byliśmy bardzo ostrożni i wszystko jakoś się trzymało.
Ale kiedy położyliśmy ostatnią cegłę, odkryliśmy, że
zapomnieliśmy o DRZWIACH.

Rowley zapowietrzył się z przerażenia. Wiedziałem, że
jeśli zaraz CZEGOŚ nie zrobię, zużyje cały nasz tlen.
No więc przebiłem sufit i wziąłem głęboki oddech.

Niektóre dzieciaki z sąsiedztwa patrzyły, jak budujemy
igloo. A gdy wystawiłem głowę na zewnątrz, pewnie
wydałem im się łatwym celem.

Kiedy ci kretyni wypstrykali się ze śnieżek, wleźli na nasze igloo. Ale konstrukcja nie była obliczona na taki ciężar, więc w jedną chwilkę się zarwała.

Ja i Rowley mieliśmy szczęście, że wyszliśmy z tego ŻYWI. Gdy wyczołgaliśmy się z gruzów igloo, uznałem, że jak na jeden dzień było dosyć atrakcji. Jeszcze raz wróciliśmy do domu i tym razem mama nas WPUŚCIŁA.

Powiedziałem jej, co się stało, żeby poszła tam
i nawrzeszczała na tych głupków.

Ona jednak odparła, że radzenie sobie z konfliktami
jest częścią procesu dorastania i że ja i Rowley mamy
załatwić sprawę SAMI. Nie spodobało mi się to, co
USŁYSZAŁEM. Myślałem, że rodzice służą właśnie
do TEGO, żeby rozwiązywali problemy za NAS.

Tata, który słuchał naszej rozmowy z drugiego pokoju,
miał ZUPEŁNIE inne zdanie. Oświadczył, że te
dzieciaki wypowiedziały mnie i Rowleyowi WOJNĘ i że
nie dadzą nam spokoju, jeśli im NIE POKAŻEMY.

Dodał, że kiedy ON był dzieckiem, po każdej śnieżycy okolica zmieniała się w POLE BITWY. Wszyscy budowali forty, walczyli na śnieżki i należeli do różnych „klanów".

Każdy klan miał swoją CHORĄGIEW, a jeśli zdobyło się cudzy fort, zatykało się ją gdzieś wysoko na znak zwycięstwa.

Rowley był zachwycony tym pomysłem z CHORĄGWIĄ. Powiedział, że my dwaj też powinniśmy założyć KLAN. Ja uważałem, że to trochę GŁUPIE, ale jeśli pracując nad chorągwią, mogliśmy spędzić trochę czasu w DOMU, nie miałem nic przeciwko.

W pralni znaleźliśmy starą poszewkę na poduszkę,
a w kuchennej szufladzie markery. Najpierw musieliśmy
jednak wymyślić NAZWĘ naszego klanu.

Rowley upierał się przy Puchonach. Ja jednak
powiedziałem, że to musi być coś ORYGINALNEGO.

Przez dłuższą chwilę kłóciliśmy się, co by to miało być,
aż zrozumiałem, że nie dojdziemy do porozumienia. No
więc zaczęliśmy obmyślać wygląd naszej CHORĄGWI.

Rowley chciał, żeby to był symbol WILKA, ale ja
wolałem coś JESZCZE groźniejszego, co odstraszałoby
nieprzyjaciół. Pomyślałem, że dobry byłby zakrwawiony
topór wojenny, lecz oczywiście Rowleyewi to się nie
spodobało. W końcu postanowiliśmy pójść na kompromis
i POŁĄCZYĆ oba elementy.

Tylko że kiedy połączy się wilka i zakrwawiony topór, wychodzi z tego nieżywy wilk, który na pewno NIKOGO nie przestraszy.

Chcieliśmy zacząć od początku i zrobić nową chorągiew, ale gdy wziąłem kolejną powłoczkę, mama kazała nam wracać na dwór. No więc włożyliśmy kurtki i poszliśmy na pustą działkę JESZCZE RAZ.

Dzieciaki, które popsuły nasze igloo, zajęły się już czymś innym, a zatem ja i Rowley mieliśmy cały teren dla siebie. Użyliśmy śniegu ze zburzonego igloo i zbudowaliśmy fort, który mógłby wytrzymać atak wroga.

Kiedy skończyliśmy, zatknęliśmy na górze chorągiew
i CZEKALIŚMY.

Wiedziałem, że nasz fort wzbudzi zainteresowanie,
lecz nie sądziłem, że aż TAKIE. W parę minut
otoczono nas ze WSZYSTKICH stron.

Byliśmy w tym starciu ZUPEŁNIE bez szans, więc
kiedy atakujący wdarli się do naszego fortu,
musieliśmy PORZUCIĆ placówkę.

BUM

BĘC

Wróciliśmy do domu i powiedzieliśmy tacie, co się stało. Lecz gdy opisaliśmy mu nasz fort, on stwierdził, że wszystko zrobiliśmy ŹLE.

Oświadczył, że forty buduje się na WZNIESIENIACH, żeby łatwiej było odpierać natarcie.

Po czym zaczął snuć opowieść o obleganych twierdzach i o tym, co robili obrońcy średniowiecznych warowni.

A to były bardzo BRUTALNE rzeczy, takie jak na przykład oblewanie napastników wrzącym OLEJEM.

Mam nadzieję, że my nie posuniemy się tak daleko. Ale wieczorem dodałem jeden punkt do listy zakupów mamy, tak na WSZELKI wypadek.

Lista zakupów

jajka	groszek
mleko	gruszki
keczup	baterie
chleb	**OLEJ**
pikle	

Przez noc przybyło chyba ze dwadzieścia centymetrów śniegu, bo kiedy się obudziłem, Surrey Street była jedną wielką ZASPĄ. Nie umiałem nawet powiedzieć, gdzie kończy się nasz OGRÓDEK, a zaczyna ULICA.

Zdziwiłem się, że pług jeszcze do nas nie dotarł. Przy TAKIM śniegu nie można przecież wyjechać autem na jezdnię. Ale gdy tata wrócił z porannego spaceru, wszystko stało się jasne.

Tata oświadczył, że kiedy pług jechał pod górę,
UGRZĄZŁ w zaspie. A potem zaatakowały go dzieciaki
z sąsiedztwa, więc kierowca dał drapaka i zostawił
pług na środku ulicy.

To oznaczało, że cały DZIEŃ będzie można jeździć na
sankach. Ale sanki są dobre dla DZIECI, a ja miałem
INNE plany.

Przez całą noc wertowałem książki taty, żeby
dowiedzieć się jak najwięcej o obleganiu zamków
i stategiach wojennych. Gdy wzeszło słońce, byłem
GOTOWY.

Chciałem jak najszybciej zbudować z Rowleyem nowy fort, ale wiedziałem, że kiedy tylko wzniesiemy ŚCIANY, zostaniemy ZAATAKOWANI. Mogliśmy odnieść zwycięstwo wyłącznie w jeden sposób. Dzięki AMUNICJI.

Pomyślałem, że możemy kupić duży zapas gotowych śnieżek od Mitchella Picketta, więc poszliśmy do szopy, w której koleś rozkręcił biznes. No a poprzednia zima musiała być bardzo dobra dla interesów Mitchella, bo wyraźnie ROZSZERZYŁ OFERTĘ.

Pożyczyłem dość kasy ze słoja Manny'ego, żeby kupić trzy tuziny śnieżek, ale teraz, kiedy zobaczyłem INNE produkty, czekał mnie TRUDNY wybór.

Piguły ekstramokre wyglądały jak normalne śnieżki, więc zapytałem Mitchella, czemu są pięć razy droższe. Na co on odparł, że każdą z nich nafaszerował BŁOTEM POŚNIEGOWYM. Nie pytajcie mnie, JAK tego dokonał.

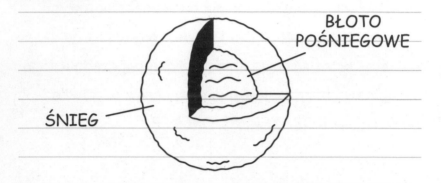

W końcu kupiliśmy dwa tuziny śnieżek i jedną procę, której moglibyśmy użyć z dużej odległości.

Szkoda tylko, że nie przyniosłem całej kasy Manny'ego, bo Mitchell miał też w sprzedaży śnieżną katapultę. A to monstrum wyglądało, jakby naprawdę potrafiło NAMIESZAĆ.

Pocieszałem się, że kupimy ją następnym razem. Tymczasem załadowaliśmy sanki i ruszyliśmy na opuszczoną działkę.

Gdy jednak dotarliśmy na miejsce, opadły nam
SZCZĘKI. Na działce było teraz MNÓSTWO fortów,
a w każdym z nich OBROŃCY.

Te dzieciaki ukradły nasz pomysł, nie wyłączając
CHORĄGWI. Siostry Marlee miały na swojej
włócznię, a Evelyn Trimble nietoperza. Bliźniaki
natomiast dwugłowego ogra, który wyglądał naprawdę
odlotowo.

Nie brakowało jednak chorągwi ŻENUJĄCYCH. Tata Marcusa Marconiego miał dawniej bistro w centrum miasta, no i jego dzieciak najwyraźniej pożyczył sobie proporczyk, który wisiał przed barem.

Chciałem podejść bliżej, żeby zobaczyć, kto JESZCZE zbudował fort, ale wtedy Ernesto, Gabriel i inni otworzyli OGIEŃ.

Działka wręcz trzeszczała w szwach, więc wiedziałem, że nie zbudujemy kolejnego fortu. A zatem mogliśmy zrobić tylko jedno. Zdobyć CUDZY.

Wziąłem z naszego garażu starą lornetkę, żebyśmy mieli ogląd sytuacji bez wystawiania się na ostrzał.

Tymczasem jednak wszystko jeszcze BARDZIEJ stanęło na głowie. Gabriel i Ernesto wydali wojnę siostrom Marlee, a gromadka dzieciaków z indywidualnym tokiem nauczania przypuściła szturm na Jamesona i Jeremy'ego Garzów.

Emilia Greenwall i Evelyn Trimble sprzymierzyły się przeciwko Anthony'emu Denardowi i Sheldonowi Reyesowi, a Śpiący Policjant i Latricia Hooks walczyli na PIĘŚCI.

Ale ja nie zwracałem na to wszystko uwagi. Szukałem wzrokiem fortu, który miałby SŁABĄ OBRONĘ, i ZNALAZŁEM. Dzieciaki z bliźniaka zbudowały wprawdzie całkiem porządną twierdzę, lecz jak zwykle nie potrafiły się ze sobą dogadać.

Pomyślałem, że zaraz opadną z sił, a WTEDY ja
i Rowley ZAATAKUJEMY. No więc podkradliśmy się
bliżej i czekaliśmy na właściwy moment.

Aż wtem wypatrzyłem fort BEZ OBROŃCÓW na
dużej śniegowej górce. Pamiętałem, co tata mówił
o WZNIESIENIACH, a ta twierdza miała IDEALNĄ
lokalizację.

Nie miałem pojęcia, dlaczego ktoś zbudował taki fajny fort, a potem go PORZUCIŁ, ale wiedziałem, że to nasza wielka szansa. Dlatego cichcem okrążyliśmy mury i wspięliśmy się po tylnej ścianie.

I nagle odkryliśmy, że fort wcale nie jest PUSTY. Panem na zamku okazał się DZIDZIA GIBSON, który uciułał w środku konkretny zapas śnieżek.

Gdy tylko stanęliśmy na murach, fort został ZAATAKOWANY.

Ci z indywidualnym tokiem nauczania też najwyraźniej wiedzieli, że najfajniejsze są forty na górkach, bo postanowili ODBIĆ naszą twierdzę. Kiedy jednak rozpoczęli szarżę, my stawiliśmy opór. Nawet Dzidzia Gibson odpierał ataki.

Wkrótce najeźdźcy zaczęli nadciągać ze wszystkich stron i z coraz większym trudem broniliśmy naszej warowni.

Aż wreszcie zostaliśmy wzięci w DWA ognie przez dzieciaki z bliźniaka, podczas gdy Ernesto i Gabriel, przyczajeni w SWOIM forcie, zaczęli nas zdradziecko ostrzeliwać z procy.

A kiedy próbowaliśmy jakoś to wszystko OGARNĄĆ, jeden z małolatów od pani Jimenez przekopał tunel przez nasz fort i TOTALNIE nas zaskoczył.

I nim się obejrzeliśmy, naszą twierdzę oblazły PRZEDSZKOLAKI. A już szczytem wszystkiego były siostry Marlee, które zaatakowały nas podstępnie od tyłu. Co było naprawdę straszne, bo te dziewuszyska drapią po OCZACH.

Ja i Rowley zostaliśmy wyparci z fortu i znaleźliśmy się w samym środku BITEWNEGO ZGIEŁKU. Każdy tu walczył z każdym i panował kompletny CHAOS.

Aż nagle nastąpiło coś, co wszystkich OTRZEŹWIŁO. Joe O'Rourke dostał w twarz lodową kulką i stracił dwa MLECZAKI.

W naszej okolicy lodowe kulki są na liście rzeczy zakazanych. No więc kiedy ktoś przekroczył tę granicę, poczuliśmy, że sprawy zaszły za daleko.

Wtedy przedstawiciele wszystkich klanów zorganizowali mityng pośrodku działki, aby uchwalić ZASADY GRY.

Byliśmy jednomyślni co do tego, że lodowe kulki są zabronione, podobnie zresztą jak żółty śnieg. Uchwaliliśmy także wiele INNYCH zasad. Na przykład taką, że nie wolno chować śniegu pod czapką.

Kiedy już wszystko omówiliśmy, byliśmy gotowi na kolejne starcie.

Tak nas jednak pochłonęły ROZMOWY, że nie zauważyliśmy, co dzieje się pod naszym NOSEM.

Otóż dolniacy zakradli się ze swoimi sankami na sam szczyt wzgórza i teraz było za późno, żeby ich POWSTRZYMAĆ.

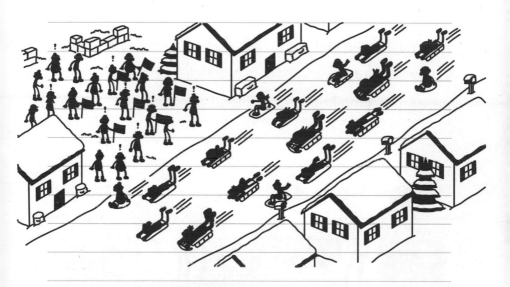

No cóż, jeśli jest JEDNA rzecz, która łączy górniaków, to słuszny gniew na dolniaków kradnących NASZĄ własność. Może nie mamy dużo, ale mamy WZGÓRZE i nikt go nam nie odbierze.

Wiedzieliśmy, że dopóki pług nie jest na chodzie, ci goście NIE ODPUSZCZĄ.

Postanowiliśmy więc wziąć sprawy w SWOJE ręce.

Sposób na zatrzymanie dolniaków był tylko jeden. Zbudowanie MURU. Ale nie byle jakiej ściany, którą łatwo można by przewrócić. Nie, nam chodziło o coś KONKRETNEGO.

Musieliśmy się jednak POSPIESZYĆ, bo oni już wracali ze swoimi sankami. Dlatego zgarnęliśmy z okolicznych posesji pojemniki do recyklingu i zaczęliśmy BUDOWĘ.

CIAP

Nasz mur był PODWÓJNY, żeby ci, którzy pokonają ścianę zewnętrzną, musieli się zmierzyć również z WEWNĘTRZNĄ. I zgromadziliśmy chyba z MILIARD śnieżek.

Znikąd nie dało się wytrzasnąć wrzącego oleju, więc wysłałem Rowleya do domu z termosami, żeby napełnił je gorącą czekoladą.

Dzieciaki od indywidualnego toku nauczania powbijały w mur sople lodu, a ci z bliźniaka ulepili kilka bałwanów, by wróg miał wrażenie, że jest nas WIĘCEJ.

Gdy zatem nadszedł, byliśmy ZWARCI I GOTOWI.

Dolniacy zobaczyli nasz MUR i kompletnie ZGŁUPIELI.

A gdy podeszli BLIŻEJ, zaczęliśmy w nich rzucać, czym popadło.

Nie mieli z nami ŻADNYCH szans. Uciekli z podkulonymi ogonami, my zaś zaczęliśmy świętować ZWYCIĘSTWO.

Lecz nasza radość była PRZEDWCZESNA. Bo dziesięć minut później oni WRÓCILI.

I tym razem byli uzbrojeni PO ZĘBY.

MARSZ MARSZ MARSZ

Większość miała odzież sportową z OCHRANIA-
CZAMI. A kiedy jeden z nich rzucił w nas KIJEM
HOKEJOWYM, zrozumiałem, że walka będzie zacięta.

ŁUP

Lecz nadal to MY mieliśmy MUR. I znajdowaliśmy się
na WZNIESIENIU.

Więc poczęstowaliśmy ich kolejną porcją śnieżek.

Przez chwilę odpieraliśmy natarcie, ale ci goście mieli asa w rękawie. Zaczęli ciskać w nas EKSTRA-MOKRYMI, na które byliśmy TOTALNIE nieprzygo-towani.

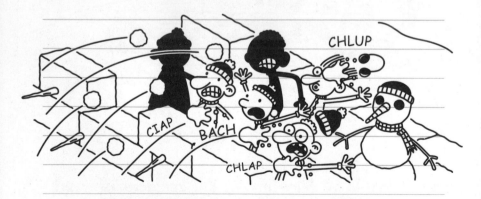

A zatem Mitchell Pickett grał NA DWA FRONTY.

Porachunki ze zdrajcą musieliśmy jednak odłożyć na PÓŹNIEJ. Teraz mieliśmy NOWE zmartwienie.

Odkryliśmy, że ekstramokre miały tylko odwrócić naszą uwagę od NASTĘPNEJ fazy natarcia.

Zasypaliśmy gości z drabinami gradem śnieżek, ale nim zdążyliśmy cokolwiek zrobić, oni już wdrapywali się NA GÓRĘ.

Na szczęście właśnie w tej chwili przybyły nasze posiłki pod postacią Rowleya i jego termosów.

Wylaliśmy zawartość termosów na wrogów włażących po drabinach. No ale wtedy się okazało, że Rowley zapomniał dodać WODY do czekolady w proszku, więc tylko ich ROZWŚCIECZYLIŚMY.

Dolniacy byli bliscy przejęcia kontroli nad murem, gdy nagle Latricia Hooks i Śpiący Policjant przeszli do HISTORII, oblewając szturmujących BŁOTEM POŚNIEGOWYM.

Nim jednak ucieszyliśmy się z wygranej, dolniacy już przypuszczali nowy atak.

Połowa drużyny futbolu amerykańskiego, która mieszka w dole wzgórza, próbowała pokonać mur ślepą, brutalną SIŁĄ.

Lecz mur NIE PUSZCZAŁ, mimo że futboliści konkretnie się zmachali.

Teraz zresztą WSZYSCY byli już wykończeni. Słońce wyszło zza chmur i zaczęło PRZYPIEKAĆ. Gorzko żałowałem, że mam na sobie bieliznę termoaktywną, bo dosłownie SKWIERCZAŁEM pod tymi warstwami.

Dolniacy dalej atakowali, a my ODPIERALIŚMY ataki, jednak po chwili NIKT już nie miał siły walczyć.

Wreszcie tamci zrobili w tył zwrot i rozeszli się do domów. Z początku myśleliśmy, że WYGRALIŚMY. Ale ci goście wcale się nie poddali. Oni tylko UZUPEŁ-NIALI REZERWY.

Była już pora lunchu, więc przynieśli sobie pod mur kanapki i różne przekąski.

Kiedy odkryliśmy, że jeden z nich rozdaje SOCZKI W KARTONIKACH, niemal nie mogliśmy na to patrzeć.

Obrońcom muru strasznie chciało się pić, a było coraz GORĘCEJ.

Niektórzy zaczęli wysysać ŚNIEŻKI, żeby uzupełnić płyny, i w ten sposób, nim ich przyuważono, przepadła połowa naszej amunicji.

Zrobiliśmy przegląd arsenału i zrozumieliśmy, że nie przetrzymamy głównego uderzenia. No więc podzieliliśmy resztę śnieżek na trzy części i postawiliśmy na ich straży Anthony'ego Denarda.

Czekaliśmy na kolejną szarżę dolniaków, lecz ona NIE NADESZŁA.

Po jakimś czasie załapaliśmy, że tamci zamierzają złamać nas PSYCHICZNIE i zdobyć mur bez walki.

Pervis Gentry PĘKŁ jako pierwszy. Nie jadł nawet ŚNIADANIA, więc widok tych wszystkich skórek od chleba walających się po ziemi odebrał mu ROZUM.

Gość zeskoczył z muru i pobiegł w dół wzgórza. Wtedy widzieliśmy go po raz OSTATNI.

Reszta górniaków nie wymiękała. Wytrzymaliśmy TRZY godziny, chociaż ci w dole NIE ODPUSZCZALI.

I w sumie wyglądało na to, że rozbijają obóz na NOC.

Paru z nich pociągnęło z domów przedłużacze, więc teraz mieli też ELEKTRYCZNOŚĆ. Mogliśmy wyraźnie dostrzec migotanie TELEWIZORÓW.

Na murze nastroje były coraz gorsze. Młodsze dzieciaki marudziły, że są głodne, zmęczone i chcą do DOMU. Wcale nie miałem im tego za złe, bo pora była OBIADOWA.

Jacob Hoff powiedział, że ma lekcję klarnetu o szóstej i że jeśli na nią nie pójdzie, jego rodzice się wścieknę. Podeszliśmy do tego z dużym zrozumieniem.

Chłopak mieszka zaledwie parę domów dalej, więc zaproponowaliśmy mu, żeby biegł, a my będziemy go OSŁANIAĆ. On z kolei obiecał, że zaraz po lekcji klarnetu wróci na mur z kieszeniami pełnymi batoników z musli i sugusów.

Wszyscy nieźle się tym podjaraliśmy, po czym pomogliśmy Jacobowi opuścić mur. Oczywiście gdy tylko znalazł się po drugiej stronie, dolniacy otworzyli ogień. My jednak KONTRATAKOWALIŚMY, więc Jacob dobiegł do domu cały i zdrowy.

Ale szybko się okazało, że gra nie była warta świeczki. Jacob wymyślił tę historyjkę o lekcji klarnetu, żeby móc dostać się do domu. A kiedy zobaczyliśmy gościa w oknie jego pokoju, zrozumieliśmy, że nigdy nie wróci z obiecaną WAŁÓWKĄ.

Po tej zdradzie na murze zapanowała GROBOWA atmosfera. Niektóre dzieciaki popłakiwały i nie było opcji, żebyśmy wytrzymali tak dłużej.

Dolniacy musieli się domyślić, że mają nas w garści, bo właśnie wtedy zasypali mur papierowymi samolocikami z ODEZWĄ.

Dla części dzieciaków to było zbyt wiele. Nawet Dzidzia Gibson wyglądał na wstrząśniętego, co chyba oznacza, że potrafi CZYTAĆ.

Parę minut później spomiędzy domów po prawej wyleciał jakiś chłopak. Już chcieliśmy nafaszerować go śnieżkami, ale ktoś ROZPOZNAŁ gościa, więc wstrzymaliśmy ogień.

To był TREVOR NIX, ten, który kiedyś mieszkał na wzgórzu.

Trevor miał zadyszkę i ledwo mógł mówić, dlatego wciągnęliśmy go na mur i poczekaliśmy, aż się uspokoi.

Kiedy koleś wziął się w końcu w garść, powiedział nam, co jest grane. Oświadczył, że dolniacy trzymali go do teraz W NIEWOLI, ale zdołał im UCIEC.

Potem wyznał, że ci goście planują coś naprawdę PODŁEGO i że musi przekazać nam ważne informacje, zanim będzie ZA PÓŹNO.

Oznajmił, że dolniacy gromadzą OGROMNY zapas śnieżek i że po zapadnięciu zmroku przypuszczą decydujący atak. Ale to jeszcze nie było NAJGORSZE.

Trevor powiedział, że ci goście lepią śnieżki
w ogrodzie GUZMANÓW. Czyli tam, gdzie mieszkają
te wszystkie PSY. To zaś oznaczało, że wróg używa
ŻÓŁTEGO ŚNIEGU. I kto wie, czego JESZCZE.
Byliśmy wściekli na dolniaków, ale też zadowoleni, że
Trevor nas ostrzegł. Powiedzieliśmy mu, że od teraz
może zjeżdżać na sankach ze wzgórza, kiedy ZECHCE.

Zgodziliśmy się, że nie możemy siedzieć z założonymi
rękami i czekać na nieprzyjaciela, więc zaczęliśmy
obmyślać STRATEGIĘ. Część z nas miała przekraść
się w dół wzgórza i wziąć Z ZASKOCZENIA oddział
lepiący śnieżki w ogrodzie Guzmanów. DRUGA połowa
natomiast miała bronić fortu. Narysowaliśmy nasz
plan patykiem na śniegu, żebyśmy wszyscy dobrze się
zrozumieli.

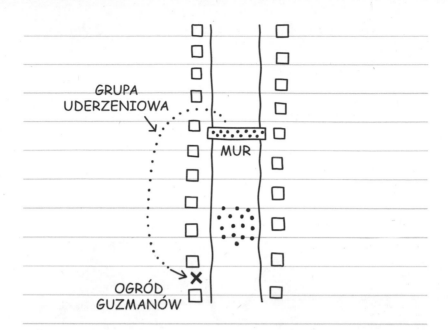

GRUPA
UDERZENIOWA

MUR

OGRÓD
GUZMANÓW

Ja i Rowley chcieliśmy ATAKOWAĆ, więc zgłosiliśmy
się do grupy uderzeniowej. Załadowaliśmy na sanki
wszystkie śnieżki, które nam zostały, i przebiegając
za murem, cichaczem opuściliśmy teren oblężenia.

Robiło się już ciemno, więc wiedzieliśmy, że dolniacy nie zauważą, jak nadciągamy.

Kiedy dotarliśmy do ogrodu Guzmanów, zatrzymaliśmy się, żeby rozpoznać sytuację. I rzeczywiście zobaczyliśmy gromadkę dzieciaków lepiących śnieżki za kamiennym murkiem.

Na sygnał Dzidzi Gibsona ruszyliśmy do ataku.

Tamci nawet NIE DRGNĘLI, gdy zaczęli obrywać.
A kiedy do nich podbiegliśmy, odkryliśmy, że to
FORTEL.

Dolniacy zwabili nas tu, żeby osłabić obronę muru. To
zaś oznaczało, że Trevor Nix jest ZDRAJCĄ. Natychmiast pobiegliśmy z powrotem, ale było ZA PÓŹNO.

Mur PADŁ, a my nie mieliśmy już amunicji. Wydawało się, że to koniec, lecz wtedy nagle wróciła nam NADZIEJA.

Zobaczyliśmy, jak z dołu wzgórza nadciąga jakiś oddział, a kiedy znalazł się bliżej, zrozumiałem, że to PATROL BEZPIECZEŃSTWA. I przez chwilę myślałem, że nadciąga z ODSIECZĄ.

Patrol jednak nie zamierzał nikogo ratować. Był tu, żeby się ZEMŚCIĆ.

W dni szkolne dziewczynom z Patrolu nie wolno brać udziału w bitwach na śnieżki, lecz to była NIEDZIELA. Czyli mogły robić, co im się PODOBAŁO.

Połowa tych lasek należy do drużyny SOFTBALLU, a jeśli ktoś twierdzi, że dziewczyna nie potrafi porządnie się zamachnąć, nie wie, o czym mówi.

Teraz walka rozgorzała między dzieciakami z Surrey Street a Patrolem. Z początku było nas DWA razy więcej. Lecz wtem połowa dziewczyn z naszej ulicy przeszła na stronę WROGA i zrobił się niezły zamęt.

W samym środku tego zamieszania KOLEJNA armia zeszła ze SZCZYTU wzgórza. To były dzieciaki z WHIRLEY STREET. Pewnie je wykopano z pola golfowego, więc przyszły pojeżdżać na sankach u nas. A wtedy nastąpił totalny ARMAGEDON.

Myślałem, że nic GORSZEGO nie może się zdarzyć.
Aż nagle straszny dźwięk przeszył powietrze
i walczący ZAMARLI. Jedynymi, którzy ten odgłos
ROZPOZNALI, byliśmy ja i Rowley.

Z naszego lasu zaczęli wychodzić MINGOWIE.
Wyglądali, jakby właśnie się obudzili po trzymiesięcz-
nej DRZEMCE.

Pochód zamykał MECKLEY, który niósł coś nabitego na PATYK. Z początku nie miałem pojęcia, na co właściwie patrzę. Lecz zaraz potem poznałem PANA CHAPSA.

Meckley nie miał swojego PASKA, co uznałem za bardzo dziwne. Wtedy jednak COŚ sobie przypomniałem. Sięgnąłem do kieszeni kurtki i wyciągnąłem zimny metalowy przedmiot.

Kiedy ja i Rowley trafiliśmy do obozu Mingów, musiałem ODRUCHOWO włożyć sprzączkę do kieszeni. A teraz zrozumiałem, że Meckley idzie PO MNIE.

Ale dzieciaki z naszego miasteczka, jeszcze bardziej niż siebie nawzajem, nie cierpią właśnie MINGÓW. No więc gdy tamci na nas natarli, WSZYSCY stawiliśmy im czoło.

Cóż, wszyscy oprócz MNIE. Bo ja miałem już DOSYĆ.

Kiedy Mingowie ruszyli na naszą armię, znalazłem sobie KRYJÓWKĘ.

W miejscu, w którym mur RUNĄŁ, była duża dziura
i właśnie w niej się schroniłem. Rowley zrobił to samo.
Wokół szalała bitwa i nie miałem pojęcia, w jaki sposób
moglibyśmy wyjść z tego CAŁO.

Rowley też nie wierzył w szczęśliwe zakończenie.
Powiedział, że jeśli ja przeżyję, a on NIE, mogę wziąć
wszystkie jego gry wideo.

Zacząłem szukać w kieszeniach długopisu, żeby mieć
to NA PIŚMIE, ale znalazłem tylko tę głupią
sprzączkę.

Co zresztą i tak było bez znaczenia, bo pięć sekund później ZATRZĘSŁA SIĘ ZIEMIA.

Sądziłem, że zostaniemy pogrzebani ŻYWCEM, i myślałem tylko o tym, że gdy nas odkopią za parę tysięcy lat, wylądujemy w MUZEUM.

Lecz wtedy ziemia przestała się trząść, więc wystawiliśmy głowy z kryjówki.

I zobaczyliśmy, że to pług jadący po naszej ulicy kosi wszystko na swojej drodze. Trudno powiedzieć, czy facet, który siedział w środku, nie widział dzieciaków na jezdni, czy też miał wszystko W POWAŻANIU.

Śnieg i tak zaczynał się już topić i zmieniać w mokrą BREJĘ. A kiedy pług dojechał do końca naszej ulicy, zapadła CISZA.

Jedyne odgłosy wydawały dzieciaki, które miały mniej szczęścia niż my.

Wiecie, co jest najdziwniejsze? Kiedy ulica została odśnieżona, nie było już nic, o co można by WALCZYĆ, i wszyscy zaczęli rozchodzić się do DOMÓW. Nawet Mingowie wrócili tam, skąd przyszli.

Prawdę mówiąc, sam nie umiałem sobie przypomnieć, O CO była ta wojna.

Piątek

Chodzimy do szkoły już od tygodnia, bo pogoda BARDZO się poprawiła. Nie chciałbym zapeszyć, ale może to koniec mrozów.

W tej sytuacji przestałem martwić się o ŚWINIĘ. Myślę, że jest teraz gdzieś w tropikach i znakomicie się bawi.

W naszej okolicy zalega jeszcze trochę śniegu. Dlatego Mitchell Pickett może szaleć na skuterze, na który zarobił tej zimy.

A każdy, kto twierdzi, że niezgoda RUJNUJE, ogromnie się MYLI.

Zresztą nie tylko Mitchell wyszedł na SWOJE. Każdego dnia po szkole Trevor Nix gra teraz w hokeja z dolniakami. Oto jak NAPRAWDĘ kończą zdrajcy.

Ale ja również nie mogę narzekać. Jestem zadowolony, że w ogóle OCALAŁEM.

Przy okazji nauczyłem się czegoś o sobie.
A mianowicie tego, że nie jestem typem BOHATERA.
Wierzcie mi, cieszę się, że świat ma swoich super-
menów. Lecz potrzebuje też takich gości jak JA.

Bo jeśli za pięćset milionów lat ludzkość wciąż będzie istnieć, to właśnie dzięki Gregom Heffleyom, którzy opanowali SZTUKĘ PRZETRWANIA.

PODZIĘKOWANIA

Dziękuję wydawnictwu Abrams, a w szczególności Charliemu Koch-manowi, który tak dobrze się opiekuje każdą moją książką. Wyrazy wdzięczności niech przyjmą również: Michael Jacobs, Andrew Smith, Chad W. Beckerman, Liz Fithian, Hallie Patterson, Steve Tager, Melanie Chang, Mary O'Mara, Alison Gervais i Elisa Garcia.

Dziękuję także niezrównanemu zespołowi zajmującemu się cwaniacz-kiem: Shaelyn Germain, Annie Cesary i Vanessie Jedrej. Oraz Deb Sundin i całej drużynie z An Unlikely Story.

Dziękuję Richowi Carrowi i Andrei Lucey za wsparcie i przyjaźń, Pau-lowi Sennottowi za bezcenną pomoc, a Sylvie Rabineau i Keithowi Fleerowi za wszystko, co dla mnie robią.

I wreszcie dziękuję Jessowi Brallierowi, za którego namową zacząłem pisać.

O AUTORZE

Jeff Kinney jest twórcą serii książek *Dziennik cwaniaczka*, numeru je-den na liście bestsellerów „New York Timesa". Sześciokrotnie zdobył Nickelodeon Kids' Choice Award w kategorii Ulubiona Książka. Jest jednym ze Stu Najbardziej Wpływowych Ludzi Świata w rankingu „Time". Stworzył również www.poptropica.com, jeden z Pięćdziesię-ciu Najlepszych Serwisów Internetowych według „Time". Dzieciństwo spędził w mieście Waszyngton, a w 1995 roku przeniósł się do Nowej Anglii. Obecnie z żoną i dwoma synami mieszka w Massachusetts, gdzie razem z rodziną prowadzi księgarnię An Unlikely Story.

Wydawnictwo NASZA KSIĘGARNIA Sp. z o.o.
05-075 Warszawa-Wesoła, ul. Apteczna 6
e-mail: naszaksiegarnia@nk.com.pl
tel. 22 643 93 89

Sprzedaż wysyłkowa: tel. 22 641 56 32
e-mail: sklep.wysylkowy@nk.com.pl

www.nk.com.pl

*Książkę wydrukowano na papierze
Ecco Book Cream 70 g/m² wol. 2,0.*

Redaktor prowadząca **Joanna Wajs**
Opieka redakcyjna **Magdalena Korobkiewicz**
Korekta **Zofia Kozik**
Skład, redakcja techniczna **Joanna Piotrowska**

ISBN 978-83-10-13926-9

PRINTED IN POLAND

Wydawnictwo „Nasza Księgarnia", Warszawa 2023 r.
Druk: POZKAL, Inowrocław